L'AGENCE MYSTERIUM

L'ÉTRANGE CAS DE MADAME TOUPETTE

Groupe d'édition la courte échelle inc.
Division la courte échelle
4388, rue Saint-Denis, bureau 315
Montréal (Québec) H2J 2L1
www.courteechelle.com

Direction éditoriale : Carole Tremblay
Révision : Thérèse Béliveau
Correction : Françoise Côté
Direction artistique : Julie Massy
Infographie : Sophie Bédard et Catherine Charbonneau

Dépôt légal, 2017
Bibliothèque nationale du Québec

Le Groupe d'édition la courte échelle reconnaît l'aide financière du gouvernement du Canada pour ses activités d'édition. Le Groupe d'édition la courte échelle est aussi inscrit au programme de subvention globale du Conseil des arts du Canada et reçoit l'appui du gouvernement du Québec par l'intermédiaire de la SODEC.

Le Groupe d'édition la courte échelle bénéficie également du Programme de crédit d'impôt pour l'édition de livres – Gestion SODEC – du gouvernement du Québec.

Catalogage avant publication de Bibliothèque et Archives nationales du Québec et Bibliothèque et Archives Canada

Côté-Fournier, Alexandre

L'étrange cas de madame Toupette

(Collection noire)
(Série Agence Mysterium)
Pour enfants de 9 ans et plus.

ISBN 978-2-89774-010-8

I. Bédard, Sophie, 1991- . II. Titre.

PS8605.O883E87 2017 jC843'.6 C2016-942327-1
PS9605.O883E87 2017

Imprimé au Canada

Alexandre Côté-Fournier

Illustrations de Sophie Bédard

la courte échelle

À Jules et Dorothée

J'ai commencé cette histoire sans vous,
et je l'ai terminée avec vous.
Elle est bien meilleure maintenant.

1

C'était décidé, Justin ne retournerait plus jamais à l'école.

Passer ses journées à s'ennuyer, enfermé dans une salle de classe, ce n'était pas une vie pour un garçon de onze ans.

Justin venait de terminer sa cinquième année. Il avait maintenant deux mois de vacances devant lui. Deux petits mois, quelle récompense misérable ! Il en avait écoulé dix à subir les tourments des mathématiques, de la grammaire, des examens et des devoirs.

En plus, cette année avait été horrible. Madame Martine, leur enseignante, était partie en octobre parce qu'elle attendait un bébé. C'est monsieur Babin qui avait pris sa place. Monsieur Babin, que certains surnomment « Babines-lentes » et d'autres « monsieur Chose ».

On pourrait lui décerner le prix du parleur le plus endormant. Il cherche ses mots, hésite, se trompe, puis finit par remplacer la moitié de ce qu'il dit par « chose ». Imaginez un cours de maths avec lui :

Qui peut me donner... euh... la... réponse... la solu... la chose... du... de la... euh..., de la... chose... numéro... euh... c'était quoi déjà... quarante-quelque chose?

Une élève lève la main. Monsieur Babin la pointe :

Oui, euh... toi, Cami... non..., Éléo... euh... Chose?

Deux cent vingt-six. Et je m'appelle Judith.

Ah? mais... non... Pas du tout. La réponse c'est... Voyons... c'est évident... c'est autre chose!

La seule « chose » qu'on peut apprendre avec cette méthode, c'est comment faire une sieste sur son pupitre.

Justin n'en pouvait plus. Oui, cette année de torture était révolue. Et, comble de malheur, madame Julie, l'enseignante de sixième, attendait aussi un bébé... Qui prendrait sa place ? Babines-Lentes Babin ? Pas question.

C'était donc décidé, Justin n'irait plus à l'école.

2

S'il ne voulait pas retourner en classe, Justin devait trouver un plan. Et un bon.

Couché sur son lit, il réfléchissait.

Il pourrait s'enfuir et vivre caché dans la forêt. Seuls ses deux meilleurs amis, Jérôme et Odile, connaîtraient son repaire. Justin chasserait pour se nourrir et garderait contact avec ses parents en leur envoyant des lettres.

Tout va bien chez moi.
Babette, ma marmotte
apprivoisée, n'a jamais été
aussi en forme. Les nuits
sont parfois froides,
mais je suis infiniment
plus heureux depuis que
je ne vais plus à l'école.
Votre fils qui vous aime,

Justin.

Mais que se passerait-il si on le retrouvait ? On l'enchaînerait à son pupitre pour ne plus qu'il s'échappe ? Des gardes le surveilleraient sans relâche, même aux toilettes, même la nuit ?

Non, la fuite n'était pas une bonne idée. C'était trop risqué.

Convaincre le premier ministre d'éliminer l'école ? Justin ne pouvait même pas convaincre sa mère d'éliminer le chou-fleur de son menu.

Il fallait une solution plus simple, et procéder avec méthode en posant les bonnes questions.

Qui ne va pas à l'école ?

Les animaux, Tarzan, les boyaux d'arrosage...

Qui d'autres ?

Les adultes.

Pourquoi les adultes ne fréquentent-ils pas l'école ?

Parce qu'ils travaillent...

Conclusion : Justin devait trouver du travail.

Quel emploi pouvait-il occuper ?

Justin rêvait de devenir hockeyeur professionnel. Bien qu'il soit très bon, il était évidemment trop jeune. On ne paierait jamais un gamin comme lui pour jouer dans la Ligue nationale. Il était grand, mais pas aussi grand et fort qu'un sportif adulte. Il devrait patienter encore un moment.

Où pouvait-il travailler pendant ce temps ? Aucune compagnie n'engage des enfants. Il faut avoir au moins quinze ou seize ans. Pas question d'attendre encore cinq années avant d'échapper à la gueule puante des dénominateurs communs !

Justin ne voyait qu'une possibilité. Aucune entreprise ne voudrait l'embaucher ?

Il allait donc fonder sa propre compagnie.

3

Justin donna rendez-vous au parc à Jérôme et Odile.

Quand on change de vie, un coup de main de ses amis n'est pas de trop. Qui sait, peut-être qu'eux aussi avaient envie de fuir les salles de classe…

Odile arriva en premier. Malgré sa silhouette assez costaude, ses cheveux noirs et ses vêtements noirs, elle sillonnait le quartier sur une minuscule bicyclette rose.

– Tu roules encore sur ce vélo ? s'étonna Justin. Il était déjà trop petit il y a trois ans.

Je sais. Pour ma fête, j'avais le choix entre un nouveau vélo et une guitare électrique. J'ai préféré la guitare.

Cachée derrière son air tranquille, l'amie de Justin écoutait de la musique métal et rêvait de devenir une vedette rock.

Justin eut une moue de déception.

Par contre, fonder une compagnie, c'est génial. Je suis prête à t'aider, même si je continue d'aller en classe. Je pourrais être ton employée.

Jérôme arriva sur ces paroles. Il était presque aussi grand que Justin. Ses capacités sportives étaient cependant très inférieures aux siennes. Jérôme portait de grosses lunettes et consacrait ses journées à deux activités : lire et étudier.

Comme à l'habitude, Jérôme entra dans le parc sans regarder où il allait, le nez dans un roman. Cette manie lui causait de sérieux problèmes. Il était parfois si passionné par son livre qu'il s'égarait. Ses parents avaient dû faire appel à la police trois fois pour le retrouver.

Justin lui annonça sa grande décision. Bien sûr, un bon élève comme Jérôme n'avait aucune envie de quitter l'école. En revanche, l'idée de se lancer en affaires l'excitait beaucoup lui aussi.

– Ce sera comme dans un livre ! dit-il. Et quel sera notre champ d'expertise ?

– Hein ? fit Justin.

– Qu'est-ce qu'on va faire ? clarifia Jérôme.

– On peut tondre des pelouses, laver des vitres et pelleter la neige l'hiver, proposa Odile.

– Mouais, maugréa Justin. Plusieurs jeunes s'en occupent déjà dans le quartier... On aura du mal à trouver des clients.

– Qu'est-ce que tu aimerais ? demanda Odile. Vendre des voitures ? Greffer des cheveux ? Construire une fusée nucléaire ? Tu n'es même pas capable de replacer une chaîne de vélo.

Elle marquait un point. Il y avait forcément d'autres idées... des métiers qui n'exigent pas toutes sortes de techniques et d'outils complexes.

Pendant ce temps, Jérôme s'était replongé dans sa lecture. Justin s'énerva :

– Jérôme ! C'est toi le cerveau ici ! Aide-nous.

– Désolé ! C'est plus fort que moi. Il faut que je sache ce qui arrive à **POLLOCK MAGOU**.

– Pollock qui ?

– **POLLOCK MAGOU**, le célèbre détective australien. Il enquêtait sur le meurtre de Raoul Cacao, le grand chocolatier, mais Bob Calcium, le spécialiste de la crème glacée, l'a capturé !

Justin allait crier une bêtise à son ami, quand un éclair traversa son esprit.

– Jérôme, tu es un génie !

– Je le sais, répondit-il. Ma mère dit que je suis surdoué. Mes capacités cérébrales élevées ont tendance à m'isoler dans...

– Je m'en fiche ! On va devenir détectives !

Les trois amis échangèrent un regard pétillant d'excitation.

– Est-ce qu'on réussira vraiment à résoudre des crimes ? s'inquiéta Jérôme.

– À quoi ça te sert d'être surdoué, sinon ? répliqua Justin.

– Ce n'est pas une question d'intelligence, le reprit Jérôme. As-tu vraiment envie de te lancer sur les traces d'un tueur ou d'un voleur de banque armé jusqu'aux dents ?

Jérôme marquait un point à son tour. Justin ne se laissa pas décourager :

– On enquêtera sur les crimes moins graves !

– Comme quoi ? Marcher sur la pelouse ? demanda Jérôme.

Odile intervint :

– La police est là pour les meurtres et les attaques à main armée. Pendant ce temps, personne ne s'occupe des vols de petits objets ni des animaux disparus. Ça pourrait être notre spécialité.

– Voilà ! s'exclama Justin.

Pris d'enthousiasme, il se leva :

– Mes très chers amis, je vous annonce que je suis officiellement le directeur d'une toute nouvelle agence de détectives. Mon entreprise recherche des enquêteurs compétents. Des intéressés ?

– Moi ! lancèrent en chœur Jérôme et Odile.

Justin sourit à pleines dents. Son plan allait fonctionner.

Adieu l'école !

4

Comment faisait-on pour démarrer une carrière de détective ?

Justin et ses amis avaient beau déborder d'entrain, ils ne pouvaient pas pointer une branche morte et s'écrier : « Donnez-moi mille dollars et je trouverai le malfrat qui a mutilé cet arbre ! » Pour enquêter sur un crime, il fallait une victime…

– Comment trouvera-t-on des clients ? demanda Justin.

– En faisant de la publicité, affirma Odile.

– C'est vrai, acquiesça Jérôme. Au début de sa carrière, **POLLOCK MAGOU** a passé une annonce dans le journal :

POLLOCK
MAGOU
Plus fort que la
MAGOUILLE !
555 565-3965

Les trois amis se rendirent chez Justin pour concevoir une affiche et des dépliants.

D'abord, leur agence avait besoin d'un nom. Même si les idées ne manquaient pas, aucune ne les satisfaisait vraiment.

Justin voulait un nom sérieux, qui plairait aux adultes…

– L'agence Mysterium ? suggéra Jérôme.

– Ça sonne bien ! répliqua Odile. Qu'est-ce que ça veut dire ?

– Ça signifie « mystère » en latin.

– Parfait ! Il ne manque qu'un slogan, conclut Justin.

– Pourquoi pas quelque chose de simple ? proposa Odile.

L'AGENCE
MYSTERIUM
Jeunes détectives à votre service.

– Super ! lancèrent en chœur les deux autres.

Tout le monde était d'accord. Il ne restait plus qu'à imprimer le résultat.

Ensuite, gare à vous, les criminels !

Enfin, les petits criminels…

5

Une heure plus tard, Odile et Jérôme partirent poser cinquante affiches et distribuer cent dépliants.

Justin, lui, resta devant sa maison, assis à une table. En tant que directeur, c'était à lui d'accueillir les clients.

Il se sentait ridicule. Tout seul derrière une petite table vide, il avait autant l'air d'un détective que de la reine d'Égypte.

Il alla chercher quelques vieux accessoires de bureau qui traînaient au sous-sol : une brocheuse, des cartables, un vieil ordinateur portable. Tout cela ne servait à rien, mais au moins il aurait l'air occupé.

Au bout d'une demi-heure, un premier curieux se présenta. C'était Pierre-Lucien, un garçon un peu grassouillet de sa classe. Jamais il ne sortait sans son uniforme de scout. Il était très gentil, malgré sa difficulté à se faire des amis à cause de ses passe-temps un peu, disons, inhabituels. Dans un exposé oral sur le thème des idoles, Pierre-Lucien avait présenté Perlin Popinpin, un chasseur de limaces.

– À quoi tu joues ? demanda-t-il à Justin.

– Ce n'est pas un jeu. Je suis détective. Détective professionnel.

Justin lui expliqua qu'il quittait l'école pour le monde passionnant des enquêtes.

– Ah bon, fit le scout. Moi, j'adore l'école ! Cet été, je vais suivre un cours sur la culture des fougères. Ce sera fascinant ! D'ailleurs, ma mère a dit que je pouvais inviter un ami. Est-ce que tu veux t'inscrire avec moi ?

– Euh... non. Non merci. Je dois travailler.

Pierre-Lucien s'éloigna en haussant les épaules.

– Tu ne sais pas ce que tu manques !

Justin se retint pour ne pas éclater de rire. Un cours sur les fougères ! Il préférait passer l'été à discuter maquillage avec sa mère.

Par contre, rester tout l'après-midi cloué à sa chaise n'avait rien de palpitant non plus. Personne ne s'approchait, et Justin commençait à regretter son choix de carrière. À la fin de la journée, des gens qui rentraient du travail circulaient devant son bureau. Tous le regardaient

comme s'ils voyaient un orignal vendre des aspirateurs.

Une voiture s'arrêta enfin.

Un homme en sortit. Chauve, massif, portant des lunettes de soleil et une grosse barbe, il faisait plutôt peur. Il s'approcha de la table.

– Euh… bonjour, balbutia le garçon. On peut vous aider à résoudre un crime ?

L'homme esquissa un petit sourire avant de répondre :

– Je ne crois pas, non.

– Ah, alors que puis-je pour vous ?

L'homme retira ses lunettes et pencha la tête vers Justin. Il avait de grands yeux vitreux.

– Si je te disais qu'il y avait un cadavre dans le coffre de mon auto, qu'est-ce que tu ferais ? demanda l'inquiétant visiteur.

Justin sentit ses jambes ramollir.

– Euh… je… je… j'appellerais… la police, bafouilla-t-il.

– C'est bien, dit l'homme, mais tu ne le feras pas. Tu sais pourquoi ?

– Non…

– Parce qu'il n'y a pas de cadavre dans ma voiture !

Il éclata de rire. Justin ne savait pas si c'était bon signe.

Puis il repartit. Tout chamboulé, Justin tremblotait sur sa chaise.

Il s'efforça d'oublier cette rencontre. Odile revint quinze minutes plus tard. Elle avait posé toutes ses affiches et distribué tous ses tracts. Justin pouvait enfin espérer de vrais clients.

C'est alors qu'un deuxième visiteur indésirable arriva.

Rocco Guénette était aussi dans la classe de Justin. Il était plus grand et plus fort que les autres et, selon ce qu'on racontait, il avait en réalité treize ans, seulement il était trop bête pour entrer au secondaire. On le surnommait :

– Comme c'est mignon ! se moqua-t-il. Une agence de détectives !

Gorille prit un des cartables et le jeta au nez de Justin.

– J'ai commis un crime ! Arrêtez-moi.

– Tu n'es pas drôle, grogna Odile.

Rocco renversa la table d'un coup sec.

– Oh ! Encore un crime ! s'esclaffa-t-il.

– Arrête, gros imbécile ! se fâcha Odile.

– C'est à vous de me faire arrêter, les détectives.

Justin voulut se ruer sur lui. Son adversaire le repoussa d'une seule main et Justin tomba sur le dos.

– Fous le camp ! hurla Odile en bousculant Rocco. Tu es fort comme un gorille mais rusé comme une crevette, Crevette Guénette !

Gorille devint rouge de colère. Il attrapa l'enseigne de la compagnie et la déchira en riant.

Au même moment, Pierre-Lucien passa de l'autre côté de la rue, une crème glacée à la main.

– Salut, Justin ! Salut, Odile ! Salut, Poupou !

Le scout tressaillit, comme s'il avait gaffé. Puis il tourna la tête et continua son chemin. Justin n'en croyait pas ses oreilles. Poupou ? Pierre-Lucien venait d'appeler la terreur de l'école « Poupou » ? D'une seconde à l'autre, c'était certain, Rocco irait lui faire avaler son cornet par les narines. Pourtant, Gorille se contenta de regarder ailleurs en soupirant. Il asséna un dernier coup de pied à la table renversée, puis partit.

– Ce n'est pas possible ! s'exclama Justin. Pierre-Lucien peut donner des petits noms ridicules à Gorille ?

– Tu n'as jamais remarqué ? répondit Odile. Rocco ne s'en prend jamais à lui.

Justin réfléchit. Il se rappelait d'avoir vu Gorille persécuter à peu près tout le monde à l'école, alors qu'il n'avait aucun souvenir de Rocco faisant le moindre mal au scout. Bizarre…

Ils regardèrent autour d'eux. Le bureau de leur entreprise avait l'air d'un champ de bataille.

– Il vaut mieux ranger tout cela avant que ma mère revienne du travail, maugréa Justin.

Odile et lui rassemblèrent les ruines de l'agence, puis rentrèrent manger quelques biscuits en guise de collation.

Assis devant la télévision éteinte, Justin demeura silencieux. Il était déçu. Rien ne s'était déroulé comme il l'espérait. Au lieu d'attirer des clients, il s'était attiré des ennuis, des menaces et de l'ennui.

Pour couronner le tout, Odile réalisa qu'il leur manquait une chose très importante : Jérôme.

– Ça fait des heures qu'il est parti, s'écria-t-elle. Ce n'est pas normal. J'espère qu'il ne s'est pas encore perdu…

– Oh non ! fit Justin. C'est trop honteux. La première enquête de l'agence Mysterium : retrouver un de ses propres détectives…

C'est alors que la sonnerie…

– Ce doit être ses parents qui s'inquiètent, soupira Justin.

Il décrocha le combiné :

– Allô ?

Au début, il n'entendit rien. Il répéta plus fort : « Allô ? » Une très vieille voix de femme, qui sonnait comme si celle-ci avait la gorge pleine de feuilles mortes, articula en chevrotant :

— Je veux parler... aux détectives.

– Euh… oui, c'est nous, répondit Justin, surpris.

Il fit signe à Odile d'approcher pour qu'elle puisse écouter.

— J'ai besoin de vous.

– Parfait ! s'emballa Justin.

— Deux cent vingt-deux bouquets, trompette des morts...

Justin et Odile sursautèrent.

– Qu… quoi ? fit Justin.

— J'ai dit : deux cent vingt-deux bouquets, trompette des morts.

Il échangea un regard avec Odile. Qu'est-ce que c'était, ces histoires de bouquets et de trompettes ? Elle voulait organiser les funérailles de membres d'un orchestre ?

– Euh... pourquoi dites-vous cela ? demanda-t-il.

— Pour venir chez moi, il vous faut mon adresse et le mot de passe.

– Ah, je comprends, dit Justin. Deux cent vingt-deux, rue Bouquet, mot de passe : trompette des morts. C'est ça ?

— Oui. Demain, après le souper.

– Aucun problème. Est-ce que...

Il y eut un déclic. La dame avait déjà raccroché.

Justin reposa le combiné. Odile et lui se regardèrent, les yeux brillants. Ils avaient une cliente ! Une cliente étrange, mais une cliente. Leur cœur battait à toute vitesse. Pendant un instant, Justin oublia tous les ennuis qu'il avait eus plus tôt. Il oublia presque que le monde autour de lui existait. C'est pourquoi il hurla de surprise lorsque la sonnette de la porte retentit.

DING! DONG!

Il alla ouvrir. Ce n'était que Jérôme qui revenait.

– Tu es en retard, le gronda Justin en bon patron.

– Oui, je sais. J'étais encore plongé dans une histoire de **POLLOCK MAGOU**. Je me suis un peu égaré.

– Laisse tomber les romans ! s'énerva Justin. Tu es un vrai détective maintenant. C'est plus excitant, non ?

– En attendant qu'on se lance dans une enquête, je peux bien…

– Justement, l'interrompit Odile, notre carrière vient de commencer. Nous avons une cliente.

Jérôme en échappa son livre.

6

Le lendemain, les trois amis se retrouvèrent au parc à 18:45.

Ils auraient pu se rendre directement chez leur cliente, mais aucun d'eux ne voulait arriver là-bas en premier. Quelque chose les effrayait, même s'ils n'osaient pas l'avouer.

– Pourquoi choisir un mot de passe bizarre comme trompette des morts ? demanda Justin. Pourquoi pas sésame ou chocolat ?

– Je ne sais pas, répliqua Odile, mais j'adore. Ça fait très heavy métal.

Les trois jeunes détectives enfourchèrent leur bicyclette. Quelques minutes plus tard, ils tournaient le coin de la rue Bouquet. Ils roulèrent encore un peu pour atteindre le numéro deux cent vingt-deux.

Une vieille maison se dressait devant eux. Ou plutôt, s'écroulait devant eux. La peinture se craquelait. Le gazon était si long qu'on aurait cru voir un champ ou même une jungle.

– Wow ! On dirait une maison hantée ! s'exclama Odile. Jérôme, c'est toi qui as laissé un dépliant ici ?

– Si ce n'est pas toi, ça doit être moi, répondit-il. Je lisais en marchant. Je ne regardais pas tellement où j'allais.

Les trois amis remontèrent l'allée jusqu'au porche. La porte, envahie par la moisissure, était fissurée de partout. Un simple coup de pied l'aurait fait tomber en morceaux.

Justin sonna.

01... 02... 03... 04... 05... 06... 07... 08... 09... 10 secondes... 11... 12... 13... 14... 15... 16... 17... 18... 19... 20 secondes... 30... 40... 50... 60 secondes passèrent.

Justin allait sonner de nouveau, lorsqu'un bruit étouffé se fit entendre. Quelque chose frottait lourdement contre la porte à l'intérieur.

– Qu'est-ce que c'est que ça ? demanda Odile. La porte est tenue fermée par une pierre ?

– À moins que ce soit le corps de la vieille dame, s'inquiéta Jérôme. Elle a peut-être fait une crise cardiaque en venant ouvrir. Son cadavre glisse tranquillement contre la porte...

Justin et Odile rirent nerveusement, comme pour se convaincre que cette supposition de Jérôme n'était qu'une blague.

La porte s'ouvrit enfin et une main apparut dans l'ouverture. Une main toute ratatinée qui ressemblait à une racine.

La mystérieuse dame montra alors le coin de son visage. À travers ses grosses lunettes, son œil avait l'air d'un nuage de poussière bleutée. Elle portait une longue robe gris foncé.

— Mot de passe ?

– Trompette des morts, répondit Justin.

— C'est bien, c'est très bien... Entrez !

Elle recula pour dégager la voie. Justin poussa la porte, mais le temps l'avait coincée. Impossible de l'ouvrir plus grand.

Les trois amis se faufilèrent par la petite ouverture. Dès qu'ils furent à l'intérieur, la dame verrouilla derrière eux en faisant glisser un immense loquet métallique qui ressemblait au verrou d'un donjon.

— Venez.

Ils suivirent leur cliente vers le salon. Seule la faible lumière qui passait à travers les rideaux éclairait la pièce. Une tapisserie à fleurs, jaunie par le temps, recouvrait les murs, lorsqu'elle n'était pas en train de décoller. La télévision, un tout petit écran au milieu d'une grosse boîte en bois, était presque ensevelie sous la poussière.

Sur une étagère, de multiples animaux en porcelaine les regardaient avec leurs yeux immobiles.

– C'est chouette, murmura Odile, pendant que Jérôme avait l'air de craindre une attaque de fantômes.

La dame poursuivit son chemin jusqu'à la cuisine. Elle s'assit à la table et recouvrit ses jambes d'une couverture.

— Moi, c'est Toupette. Et vous ?

– Euh… pardon ? fit Justin.

— Je m'appelle madame Toupette. Et vous ?

Les détectives se présentèrent et vinrent s'asseoir avec elle.

— Prenez du cantaloup.

Elle pointa une assiette vide au milieu de la table. Personne n'osa lui signaler l'absence de fruit dans l'assiette. À son âge, elle ne voyait peut-être plus très bien. Ils se contentèrent de l'écouter.

— Je vais vous expliquer pourquoi j'ai besoin de vous. Il m'arrive quelque chose de très étrange. Quelque chose d'inexplicable... J'en ai parlé à la police, mais les agents croient que je suis folle !

La dame se tut et fixa ses visiteurs.

— Vous ne voulez pas un bon morceau de cantaloup ?

– Euh… non merci…, balbutia Justin.

– Non merci, répéta Odile.

La dame se tourna vers Jérôme.

— Allons, mon petit, fais-moi plaisir et mange un morceau de cantaloup. Je l'ai coupé pour vous !

Poliment, Jérôme exerça ses talents de mime. Il tendit sa main, prit un fruit imaginaire et le dégusta.

– C'est très bon, articula-t-il. Il est sucré. Merci.

— De rien, mon garçon. Je disais donc que la police se fiche de moi ! Chaque samedi soir, pendant la nuit, quelqu'un fait du mal à mon chat Pompon. Je ne le laisse jamais aller dehors, je verrouille toutes les portes, je ferme toutes les fenêtres, et pourtant il subit toujours un supplice affreux !

La dame poussa quelques sanglots et sortit un mouchoir. Elle se déboucha le nez dans un vacarme effrayant.

TUUUT TUUUT

Était-ce cela, la trompette des morts ?

– Quel genre de supplice ? questionna Justin, qui se demandait quand même si la police n'avait pas raison de la trouver folle.

— Samedi dernier, on l'a attaché à une chaise avec du ruban-cadeau. Oh, le pauvre petit... La semaine d'avant, le bandit l'a couvert de confiture ! C'était horrible. Une autre fois, on l'a rasé comme un caniche ! Heureusement, ses poils ont repoussé. Oh, le mignon petit...

Sur ces entrefaites, Pompon arriva dans le salon et se dirigea vers sa maîtresse. Il avait l'air bien gentil, pourtant il n'avait rien d'un mignon petit.

Son ventre était si gros qu'il frottait le sol, nettoyant le plancher au passage. Il bondit pour s'installer sur les genoux de madame Toupette mais, trop lourd, il s'effondra par terre. Il recommença cinq fois, jusqu'à ce qu'Odile l'aide d'une poussée supplémentaire.

— Vous devez trouver le malfaiteur, continua la dame une fois la vadrouille géante écrasée sur elle.

— Je crains qu'il ne revienne demain soir. Si vous réussissez, je vous promets une récompense que vous n'êtes pas près d'oublier !

Justin frémit d'excitation. Son imagination s'emballait déjà. Que leur donnerait-elle ? Un coffre au trésor ? Une collection de timbres rares ? Plein d'argent dont elle n'avait plus besoin ? La simple idée de gagner quelque chose dissipa ses inquiétudes.

– Nous le trouverons ! lança-t-il avec conviction.

7

L'enquête démarra aussitôt. Odile et Jérôme examinèrent la maison de madame Toupette à la recherche d'indices. Qui sait, peut-être que le malfaiteur aurait pu oublier un gant, un chapeau, ou encore un papier avec son nom, son adresse et son numéro de téléphone.

Malfaiteur inc.
méfaits en tout genre !
tel: 555-4831
@: méchant@courriel.com

Pendant ce temps, Justin interrogea la première cliente officielle de l'agence Mysterium.

Cette discussion ne menait pas à grand-chose. Justin sortit donc inspecter les lieux par lui-même.

Madame Toupette avait cependant raison. Il n'y avait aucun moyen de pénétrer chez elle hormis par les portes et les fenêtres. Justin les scruta attentivement, cherchant les marques d'un outil qui aurait forcé une entrée. Il ne trouva rien.

Il rentra et remarqua un foyer dans le salon. L'agresseur de Pompon aurait-il pu se prendre pour le père Noël et arriver par la cheminée ? Justin s'accroupit et y jeta un coup d'œil. L'espace était minuscule. Seul un bébé aurait pu passer par là. En plus, les parois du tuyau étaient recouvertes de suie. Impossible d'en ressortir sans noircir tout le tapis.

Justin alla rejoindre ses amis.

– Nous n'avons rien trouvé, se désola Odile. Pas le moindre petit grain de sel suspect.

Madame Toupette arriva, un morceau de ruban à la main.

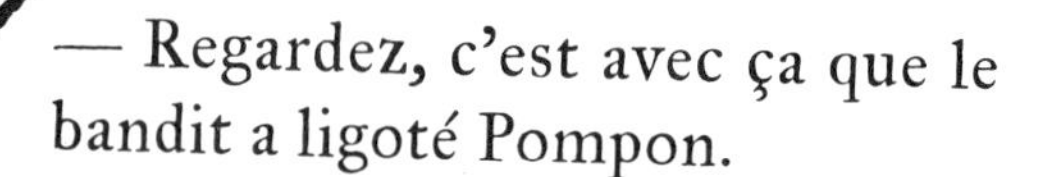

— Regardez, c'est avec ça que le
bandit a ligoté Pompon.

– Hum… fit Justin. On pourrait essayer de découvrir où on vend ce ruban. Peut-être que les employés se souviennent qui en a acheté récemment.

– Tu crois qu'ils retiennent ce genre de détail ? rétorqua Odile. C'est du ruban-cadeau. Ça se vend partout et tout le monde en achète. Ce n'est pas comme si un homme masqué s'était procuré une pelle, de la corde et un revolver.

— Prenez ses empreintes ! Comme ça, vous trouverez le coupable !

Madame Toupette ne réalisait pas à qui elle avait affaire. Les trois détectives n'avaient pas le matériel pour relever des empreintes. Et même s'ils l'avaient eu, comment faire pour découvrir à qui elles appartenaient ? Ils ne pouvaient pas les comparer à celles de tous les passants dans la rue. Heureusement, Justin avait une autre idée…

– Oui ! C'est exactement ce que nous allons faire, madame Toupette ! s'exclama-t-il. Nous reviendrons bientôt. Merci pour le cantaloup !

Justin s'en fut, suivi de ses amis.

– Tu sais comment prendre des empreintes ? s'étonna Jérôme.

– Non. J'ai un autre plan. Demain c'est samedi. Nous allons guetter la maison pendant la nuit et attraper le bandit sur le fait.

Jérôme et Odile demeurèrent silencieux. Jamais leurs parents ne leur donneraient la permission de mettre le nez dehors en pleine nuit...

– Nos parents n'ont pas besoin de savoir, déclara Justin qui devinait leurs pensées. Je vais sortir en cachette.

Si vous voulez toujours un emploi dans l'agence, vous n'avez qu'à faire de même...

8

Justin dormit mal cette nuit-là, trop excité par l'attente du lendemain. Quand il se réveilla, il se sentit comme à la veille de Noël, lorsqu'il devait patienter jusqu'à minuit avant d'ouvrir ses précieux cadeaux. Comment allait-il s'occuper toute la journée ?

Il prépara d'abord son sac à dos. Il y mit :

✓ *des walkies-talkies*
✓ *une lampe de poche*
✓ *un appareil photo*

Satisfait, il descendit au sous-sol jouer à **Donjon Royal 5**, son jeu vidéo préféré. Au bout de quinze minutes, il paniqua, remonta dans sa chambre et vida son sac à dos. Si sa mère le trouvait, elle risquait de flairer quelque chose de louche. Elle avait un sixième sens pour ces situations. L'hiver dernier, elle avait deviné une mauvaise note à un examen de mathématiques juste en regardant son fils enlever son manteau.

Justin redescendit jouer un instant, puis il en eut assez. Il était incapable de penser à autre chose qu'à son enquête. Quand sa mère le vit remonter, elle perdit patience :

– Tu ne vas pas tourner en rond toute la journée ! Va jouer dehors !

Justin prit son vélo et retourna dans la rue Bouquet. Il découvrirait peut-être quelque chose qui ferait avancer l'enquête.

Quand il arriva devant la maison de sa cliente, il eut envie de faire demi-tour. Madame Toupette était sortie sur son porche, toujours vêtue de sa robe grise. Elle semblait parler seule.

— Encore ? Vilaine crapule ! criait-elle.

Sans s'immobiliser, Justin ralentit pour voir à qui elle s'adressait. Il aperçut sur une des marches une petite grenouille en porcelaine.

— Une grande fille comme toi ! Tu n'as pas honte ?

Sur ce, elle lui jeta une banane.

— Tu vas manger ce que je te donne, pas autre chose !

Justin se remit à pédaler. Il sentit son ventre se contracter. Il se demandait si cette première enquête en valait la peine. Si sa cliente grondait et nourrissait une grenouille décorative, elle était probablement assez cinglée pour couvrir son chat de confiture le samedi soir. Et qui sait ce qu'elle pourrait leur faire, à lui et à ses acolytes…

Il rentra chez lui et il décida qu'il fallait attirer d'autres clients. Il ouvrit son ordinateur et commença à élaborer un site web. Entre-temps, il envoya un courriel à ses amis.

Justin
À : Odile, Jérôme

Comptez-vous venir ce soir ? Je vous attendrai au parc à onze heures.

Odile répondit qu'elle ferait de son mieux. Jérôme, quant à lui, se montra plus craintif.

Jérôme
À : Justin, Odile
Rép :

Si mes parents réalisent que je suis parti, ils ne me laisseront plus jamais sortir. Ils ont déjà appelé la police trop souvent pour me retrouver.

Justin lui répondit :

Justin
À : Odile, Jérôme
Rép :

Est-ce que Pollock Magou aurait peur d'y aller ?

C'était peut-être malhonnête de sa part, mais Justin savait qu'il n'y avait pas meilleur argument pour convaincre Jérôme.

■■■

10:00 PM

Justin était dans son lit, sous les couvertures, tout habillé et prêt à partir. Il avait refait son sac et ajouté quelques provisions. Il ne restait plus qu'à attendre que ses parents se couchent et s'endorment. Quelques minutes plus tard, il les entendit aller à la salle de bain puis entrer dans leur chambre.

Combien de temps mettraient-ils à s'assoupir ? Pas beaucoup, à la condition qu'ils ne se lancent pas dans une discussion sur l'aménagement de la véranda.

Justin se mit à imaginer leur bavardage, son père souhaitant se procurer un gigantesque barbecue, et sa mère protestant qu'elle n'aurait plus assez d'espace pour son potager. La porte de la chambre s'ouvrit tout d'un coup. Justin faillit hurler de surprise. C'était sa mère.

– Justin, est-ce que tu m'écoutes quand je parle ?

– Hein, quoi ? lâcha-t-il, stupéfait.

Sa mère avait un sixième sens, mais elle ne pouvait quand même pas deviner qu'il était en train de penser à elle.

– Tu as encore posé ton sac devant la porte ! Justin sentit le stress monter en lui.

– J'en ai assez de le répéter, continua-t-elle. Tu le laisses toujours traîner par terre. Quelqu'un va finir par trébucher. Ramasse-le.

– Euh… je le ramasserai demain, la rassura Justin, qui ne pouvait pas sortir du lit sans révéler qu'il était tout habillé.

– Non, maintenant ! Quelqu'un pourrait se faire mal.

– Eh bien… oui, justement. Comme je suis couché, personne ne viendra ici avant demain. Si quelqu'un trébuche et se fait mal, ce sera moi. Alors j'aurai eu ma leçon.

La mère de Justin fronça les sourcils.

– C'est bon, tu as gagné. Je voulais seulement te rappeler que nous déjeunons chez grand-maman demain. Debout à 7 h 30 !

– D'accord.

– Bien. Bonne nuit, chéri.

– Bonne nuit…

Ouf ! Justin l'avait échappé belle. Sa mère repartie, il alluma sa console de jeu portative et écoula quelques minutes à tuer des gargouilles. Puis il s'approcha de sa porte et tendit l'oreille pendant un long moment. Pas le moindre craquement ni bruit de voix. L'heure était venue.

Il enfila son sac, tourna lentement la poignée, puis ouvrit la porte. L'obscurité et le silence de la maison l'enveloppèrent. Sa respiration s'accéléra. Jamais il n'avait désobéi de la sorte.

Il descendit dans l'entrée. En évitant de faire du bruit, il enleva le verrou, tira la poignée et sortit. Un frisson le parcourut.

Dehors, tout était calme. Justin se sentait seul au monde. Il alla chercher sa bicyclette dans la cour, puis fonça vers le parc sans se retourner. Son cœur battait fort. On aurait dit un rythme de batterie. Justin l'écouta et essaya de composer une petite chanson thème pour son entreprise.

Trois jeunes détectives, la-la-la-la,
oui, c'est eux qui arrivent…
Pour démasquer ceux qui mangent,
la-la-la-la, vos olives…

L'agence Mysterium, la-la-la-la,
pour protéger vos…
…pommes…

Un claquement le fit sursauter. Un homme venait de déposer un sac dans une poubelle. Il jeta un bref regard à Justin puis rentra chez lui.

« J'espère qu'il n'a pas entendu ces paroles stupides », pensa Justin.

Le garçon arriva au parc. Aucun signe de ses amis. Mais il n'était pas tout à fait onze heures.

Justin s'assit sur un banc. À *11:00* pile, l'endroit était toujours désert.

– Tant pis, se dit-il.

Justin comprenait qu'Odile et Jérôme n'aient pas voulu sortir en pleine nuit. Il aurait quand même aimé avoir un peu de compagnie pour surveiller l'étrange maison.

Alors qu'il remontait sur sa bicyclette, une voix se fit entendre :

– Justin ! Je suis là !

Odile arrivait en pédalant à toute allure sur son petit vélo rose, qui menaçait de se renverser à chaque coup de pédale. Tout content, Justin lâcha son guidon pour lui envoyer la main. C'est lui qui s'écrasa par terre.

– Ça va ? demanda Odile.

– Mouais…, fit Justin en se tenant les côtes.

– Devrait-on attendre Jérôme ?

– Je ne crois pas qu'il viendra. Il n'osera pas sortir à cette heure.

– Oui, tu as raison. Allons-y.

– Je suis là, souffla Jérôme.

– Hein ? Où ça ?

Justin perdit patience.

– Jérôme, il n'y a que nous ! Sors de ta cachette !

La tête de Jérôme émergea de derrière un arbuste.

– Vous êtes sûrs qu'on ne nous voit pas ? s'inquiéta-t-il.

– Jérôme, personne ne va appeler tes parents ! s'impatienta Odile. Sors de là !

Jérôme abandonna son abri sans cesser de scruter les alentours.

– Bon, le plan est simple, expliqua Justin. Nous allons faire des tours de garde. L'un surveillera l'avant de la maison et un autre l'arrière. Le troisième pourra dormir un peu pendant ce temps, car la nuit risque d'être longue. J'ai apporté mes walkies-talkies pour que nous puissions rester en contact. Toutes les deux heures, nous changerons de position. Avez-vous des questions ?

– Qu'est-ce qu'on fait si... ça tourne mal ? bredouilla Jérôme.

Justin se mit à penser à la conversation entre madame Toupette et sa grenouille. Il préféra ne rien raconter à ses amis et cacha sa propre angoisse. Ses troupes devaient rester motivées.

– Qu'est-ce qui pourrait mal tourner ? répondit-il. Nous allons simplement surveiller une maison. Je ne vois aucun danger. Et tes parents dorment comme des bûches en ce moment, j'en suis sûr.

Justin n'en était pas sûr du tout, mais Jérôme émit un petit sourire. Il semblait à peu près rassuré.

Quelques minutes plus tard, les trois détectives s'arrêtaient devant la maison de la vieille dame. Ils n'avaient plus qu'à cacher leurs vélos.

– Mettons-les dans la cour, proposa Odile. On ne les…

SSCHRRASSS

– Qu'est-ce que c'est que ce bruit ?

Une respiration rauque et profonde brisait le silence de la nuit. Quelques longues herbes se mirent à trembler. Quelqu'un ou quelque chose gigotait dans la pelouse.

– C'est probablement un animal, supposa Justin.

– Il doit être gros, fit remarquer Jérôme. Toute l'herbe tremble.

– À moins que madame Toupette soit une morte-vivante, continua Odile, et qu'elle soit en train de sortir de sa tombe…

– On ferait mieux de s'en aller, laissa tomber Jérôme en reculant.

– Non ! décida Justin, même s'il avait lui-même envie de décamper. Il s'agit peut-être de notre coupable.

Il saisit son appareil-photo.

HHOOUCHHH

– Tenez-vous prêts, murmura-t-il.

– Prêts à quoi ? voulut savoir Jérôme.

Bonne question. À capturer le bandit ? À déguerpir ? À crier coucou ? Justin n'en avait aucune idée.

– Peu importe. Ce que vous voulez, lâcha-t-il.

Puis il hurla en direction de la chose invisible :

– Eh, toi ! Sors de là.

Le mouvement cessa net. Une tête apparut au-dessus des herbes. Puis un corps. Un corps vêtu... d'un uniforme de scout !

– Pierre-Lucien ! Qu'est-ce que tu fais là ?

– Je fais mes devoirs pour mon cours sur les fougères. Il n'y en a nulle part en ville, sauf sur ce terrain.

Les trois détectives pouffèrent de rire. Observer des fougères à onze heures du soir, c'était du Pierre-Lucien tout craché. Mais cela restait assez louche. Ça méritait même quelques questions.

– Drôle d'heure pour faire ses devoirs, insinua Odile.

– Pas du tout ! protesta le scout. Tout le monde sait que les plantes produisent plus de CO_2 la nuit, puisqu'il n'y a pas de photosynthèse.

– Euh… c'est possible, bafouilla Justin sans avoir compris.

– Pourquoi respirais-tu aussi fort ? demanda Jérôme.

– Je crois que j'ai une réaction allergique. Vous ne pouvez pas vous imaginer toutes les herbes rares qui poussent ici…

Pour confirmer le tout, Pierre-Lucien se mit à éternuer.

– Je vais devoir rentrer, maugréa-t-il. Et mes devoirs qui ne sont pas finis… Je perdrai sûrement des points. Oh ! Je sais ! Je vais les récupérer en faisant l'exercice boni : observer des lycopodes. Il y en a au parc.

Le naturaliste s'éloigna. Les détectives le regardèrent tourner le coin de la rue.

– Est-ce que son explication vous semble plausible ? demanda Odile.

– Scientifiquement, oui, répondit Jérôme. Bien qu'une bonne explication, ça ne prouve rien.

– On le gardera sur la liste des suspects, conclut Justin. En même temps, il adore les animaux. Ça me surprendrait qu'il s'attaque à un pauvre chat.

Justin sortit les walkies-talkies. Il en tendit un à Jérôme.

– Tiens, prends ça. Tu monteras la garde en avant, et moi en arrière. Pendant ce temps, Odile, tu pourras dormir dans l'herbe à côté de moi. On échangera nos postes toutes les deux heures. Voici le plan :

Les trois amis gagnèrent leur position. Cependant, Odile fut incapable de fermer l'œil.

– Je ne veux pas dormir lorsque le malfaiteur se montrera. J'ai trop hâte !

Elle resta assise avec Justin dans un recoin de la cour, à côté d'un vieux plant de tomates. La nuit était calme comme le fond d'un puits. Il n'y avait rien d'autre à observer que le doux mouvement des feuilles dans les arbres. Au loin, on entendait de temps à autre le ronronnement d'une voiture.

Ils attendirent. Puis attendirent encore.

Au bout d'une heure, un grésillement terrible brisa la tranquillité. Justin et Odile bondirent. Le bruit provenait de tout près.

– BZZZZZZZZZZZ, Justin, BZZZZZZZZZ, tu me reçois?

C'était Jérôme qui les contactait sur le walkie-talkie.

– Oui, répondit Justin. Tu vois quelque chose ?

– Non. J'ai une idée pour passer le temps. Quand Pollock Magou doit surveiller un endroit pendant de longues heures, lui et son assistant Zéphir Crapp inventent une histoire en la racontant à tour de rôle. L'un commence, l'autre poursuit, et ainsi de suite. Donnez-moi un titre et je trouverai le début, puis l'un de vous se chargera de la suite. Ça marche ?

– Euh... pourquoi pas, fit Justin peu convaincu. As-tu une idée, Odile ?

– Hum... Laisse-moi y penser... Le fantôme de la bouchère sanguinaire.

Justin frémit.

– Je ne suis pas certain d'avoir envie d'écouter, dit-il.

Jérôme, lui, avait l'imagination si débordante qu'il fut aussitôt absorbé par son propre récit.

– C'est l'histoire d'une vieille dame. Elle travaillait autrefois à la boucherie du quartier, celle qui a été détruite par un mystérieux incendie. Depuis cet incident, le désir de trancher de la chair fraîche ne l'a jamais quittée. Mais elle ne découpe plus des animaux. Elle préfère les enfants...

Il y eut un long silence. Justin sentait l'effroi s'installer en lui.

– C'est à votre tour ! les relança Jérôme, tout joyeux.

– Je vais essayer, dit Odile. Un jour, trois enfants ont sonné chez elle. Deux garçons et une fille. Après avoir verrouillé la porte derrière eux, elle les a invités à s'asseoir. Puis elle leur a servi du cantaloup invisible. Invisible parce qu'il venait tout droit... de l'au-delà ! Le lendemain...

À ce moment, le vent se leva, comme pour annoncer un malheur. L'air froid donna la chair de poule à Justin et Odile. Un claquement brusque résonna ensuite dans le walkie-talkie.

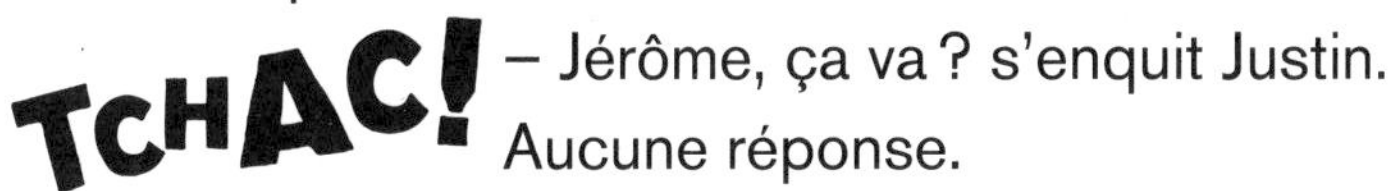

– Jérôme, ça va ? s'enquit Justin.

Aucune réponse.

– Jérôme ? insista Justin.

Silence.

– Il faut aller voir, décréta Odile. Il lui est peut-être arrivé quelque chose.

– Quelque chose comme quoi ? demanda Justin.

Les suppositions les plus terrifiantes défilèrent dans son esprit. Jérôme avait pu être surpris par le malfaiteur, qui l'avait assommé d'un coup de bâton. Madame Toupette s'était peut-être réveillée, prise de pulsions sanguinaires, et venait de capturer Jérôme pour en faire un ragoût.

– Je ne sais pas, mais on ne peut pas rester là, le pressa Odile. On doit aider Jérôme.

– C'est vrai, approuva Justin. Seulement il faut quand même quelqu'un ici pour surveiller l'arrière.

– C'est bon, ce sera moi, trancha Odile.

Justin inspira profondément. C'est ce qu'il faut faire quand on est nerveux, se disait-il. Sauf qu'il n'était pas seulement nerveux, il claquait des dents.

Le détective avança jusqu'à l'avant. Il s'attendait à trouver le terrain désert, Jérôme ayant disparu entre les pattes d'on ne savait quelle bête malveillante. Eh bien non, le grand lecteur était à son poste, bien vivant.

– Ça va ? s'informa Justin. Qu'est-ce qui s'est passé ?

Jérôme demeura silencieux. Justin s'approcha et vit que son ami était blanc comme un drap. Il gardait les yeux fermés.

– Jérôme, parle-moi !

– Je ne veux pas regarder, murmura Jérôme.

– Regarder quoi ?

– Là, bégaya Jérôme en pointant derrière lui. Un cadavre...

9

Justin devint tout raide, tellement raide qu'il avait du mal à bouger. Il releva lentement la tête. Une forme se dessinait derrière l'arbre de la maison d'en face. Cela ressemblait étrangement à un corps d'homme, enveloppé dans un long manteau.

– Ça doit être un sac à ordures, supposa Justin, autant pour se rassurer lui-même que pour rassurer Jérôme.

– Je suis sûr que c'est un cadavre ! protesta ce dernier.

– Mais non ! C'est ridicule.

– Alors va voir.

Le sang de Justin se glaça.

– Euh... non. Il faut nous concentrer sur notre mission. On vérifiera tout à l'heure. C'était quoi, ce bruit ?

– Quand j'ai essayé de vous parler, j'ai échappé le walkie-talkie.

Pour appuyer ses paroles, Jérôme montra sa main, qui tremblait comme s'il se préparait un lait frappé.

– Je ne veux plus rester ici tout seul, ajouta-t-il en retenant un sanglot. Mais je veux quand même être un détective…

– Bon… alors va surveiller l'arrière avec Odile, lui offrit Justin. Je prends ta place.

Jérôme partit à la course rejoindre leur amie.

Justin frissonna. Il n'avait aucune envie de rester seul. Il jeta un autre coup d'œil derrière lui. N'était-ce pas un soulier qui dépassait à droite de l'arbre ?

Je ne dois plus regarder, plus regarder, plus regarder, se répéta Justin.

Puis, il se mit à entendre un grondement, comme le son d'un moteur qui résonnait toutes les trois ou quatre secondes.

Le ventre noué, Justin se retourna. Cela venait de la mystérieuse chose.

– Le «cadavre» n'est pas mort, murmura Justin dans le walkie-talkie. Je crois qu'il ronfle…

– Fiou! fit Jérôme. C'est… euh… est-ce que c'est rassurant?

– Tant qu'il dort, oui, les coupa Odile. Alors ne fais pas de bruit pour ne pas le réveiller…

Justin déposa le walkie-talkie, puis attendit en silence. Il n'avait absolument rien à faire pour passer le temps, hormis écouter le ronflement de la créature écrasée sur la pelouse d'en face. Les minutes s'écoulaient comme des heures.

«Oh, comme j'aurais envie d'un cours de maths!» songea-t-il.

RRRRRRRRRRRRRRRR

Quelques heures plus tard, le soleil diffusait sa lumière rosée à l'horizon. Les oiseaux chantaient déjà depuis plusieurs minutes. Justin et ses amis avaient attendu toute la nuit sans surprendre aucun bandit. Au moins, ils avaient pu dormir un peu, Justin et Odile échangeant leurs postes de temps à autre.

De retour à l'arrière avec Jérôme, Odile prit la parole dans le walkie-talkie :

– En tout cas, on sait qu'il n'y a rien de dangereux ici. On s'est inventé toutes sortes de peurs, et il ne s'est rien passé. Maintenant, il va falloir rentrer avant que…

Un rugissement plaintif déchira le gazouillis des oiseaux.

— Aaaaaahhhh ! C'est affreux !

C'était madame Toupette qui se lamentait à l'intérieur de la maison.

– Vite ! Il faut aller voir ! s'écria Odile.

Justin se précipita dans la cour. Odile tirait sur la porte arrière.

– C'est verrouillé, constata-t-elle.

Ils se mirent tous à frapper.

– Madame Toupette ! C'est nous, les détectives !

La porte s'ouvrit au bout de quelques secondes. Leur cliente, les larmes aux yeux, leur jeta un regard furieux. Elle tenait Pompon, qui s'était fait lier les pattes et enfoncer une pomme dans la bouche. Comme un cochon qu'on allait embrocher.

— Pauvre petit ! Regardez-le. Vous êtes des bons à rien ! cria la vieillarde en pleurant. Je vais vous frotter les oreilles !

Elle déposa Pompon et s'empara d'un long bâton, au bout duquel se trouvait une petite main en bois. Elle visa la tête de Justin, qui se fit gratter non pas l'oreille mais le menton.

Il n'essaya même pas d'éviter la punition. Il était trop perplexe. Il ne comprenait pas comment le coupable avait pu leur passer sous le nez.

– Nous sommes désolés, s'excusa-t-il. Nous allons revenir la semaine prochaine et démasquer le bandit. Promis !

La vieille dame repartit à l'intérieur. La porte se referma derrière elle en grinçant.

Pour l'instant, la mission la plus urgente des trois détectives était de regagner leur lit avant le réveil de leurs parents.

– Quelle heure est-il ? demanda Jérôme.

– Six heures quinze, lui indiqua Justin.

– Oh mon Dieu ! Déjà ?

Jérôme détala comme si un orage de jus de moufette allait s'abattre sur lui.

Il disparut à l'avant de la maison, puis Odile et Justin l'entendirent pousser un cri de stupeur.

Ils coururent le rejoindre.

– Regardez, dit-il.

Le corps qui gisait sur la pelouse de la maison d'en face s'était tourné sur le dos. Justin sursauta lorsqu'il vit son visage. C'était le fameux Tonton qui était venu lui parler lors de l'ouverture de l'agence.

Justin leur raconta l'étrange entretien qu'il avait eu avec lui.

– Qu'est-ce qu'il fait là ? demanda Odile. Pourquoi a-t-il passé la nuit sur le gazon ?

Justin remarqua une bouteille vide à côté de lui.

– Je crois qu'il a trop bu d'alcool.

– Est-ce qu'on essaie… de l'interroger ? avança Jérôme, hésitant. C'est louche qu'il soit ici.

Il avait raison, mais Justin préféra rester prudent.

– J'aimerais mieux partir avant qu'il se réveille. On ne sait pas de quoi il est capable.

– Prends quand même une photo, suggéra Odile.

Qu'il soit coupable ou pas, on aura une preuve qu'il était présent le soir du crime…

10

Malgré l'échec de leur mission, la chance était du côté des détectives. Ils réussirent tous les trois à se glisser dans leur lit sans se faire surprendre.

Justin resta très silencieux chez sa grand-mère. Il n'avait dormi que deux heures... Sa famille, habituée de le voir jacasser sans arrêt, en profita pour le taquiner.

– C'est une fille qui te turlupine ? insinua son père.

– Laisse-moi deviner... C'est Odile ? renchérit sa mère.

En temps normal, Justin se serait scandalisé, mais il avait l'esprit ailleurs. Il se contenta de hausser les épaules. Il voulait absolument comprendre comment le malfaiteur avait pu attaquer Pompon en dépit de leur surveillance. Et comment faire pour que cela ne se reproduise pas.

Pendant que sa grand-mère déposait une crêpe dans son assiette, la solution jaillit toute seule. Ce n'était pas la maison qu'il fallait guetter, mais le chat ! Le bandit avait beau s'être faufilé sous leur nez, il ne pouvait pas martyriser Pompon sans approcher Pompon.

– Le mariage est pour bientôt ? plaisanta sa grand-mère. Est-ce que je dois m'acheter une robe ?

– Oui, bien sûr ! s'écria Justin avec enthousiasme.

Tout le monde éclata de rire.

– Euh... non, je pensais à autre chose, bredouilla le garçon.

■ ■ ■

Une fois chez lui, Justin appela ses amis pour leur faire part de son plan : il fallait passer la nuit dans la maison de madame Toupette et surveiller son gros matou.

– C'est une bonne idée, approuva Odile. Et qu'est-ce qu'on fait en attendant ?

– En attendant quoi ? demanda Justin.

– Il faut continuer l'enquête ! On ne va pas passer toute la semaine à poireauter pendant que le criminel court toujours.

– Bof… lâcha Justin. On le prendra sur le fait samedi prochain. À quoi bon chercher pour rien d'ici là ? Je vais passer la semaine à jouer aux jeux vidéo et à me baigner. Puis, dimanche matin, Pompon sera sauf et l'agence Mysterium triomphera. C'est le plan parfait.

– C'est un plan parfait de paresseux, commenta Odile.

– Mon père dit que les patrons sont les plus paresseux, répondit Justin. C'est donc tout à fait normal.

– J'ai une proposition, les interrompit Jérôme. Il est possible que le bandit soit un récidiviste. Si d'autres chats ont été attaqués, on pourrait rassembler plus d'indices. On devrait interroger les gens du voisinage de madame Toupette. On aura peut-être plus de clients du même coup !

– Excellent ! s'exclama Odile.

Justin se rendit à l'évidence : s'il voulait vraiment quitter l'école, il ne pouvait pas rester là à moisir chez lui. Devenir détective ne se ferait pas tout seul. En plus, si le même criminel attaquait plusieurs chats, Justin et ses acolytes n'auraient qu'un bandit à démasquer pour toucher plusieurs récompenses ! C'était un autre plan de paresseux, plus payant celui-là.

Durant les deux jours qui suivirent, les trois amis sonnèrent aux portes de chaque maison de la rue Bouquet, ainsi qu'à celles des rues voisines. Malheureusement, tous les chats du coin se portaient très bien, merci.

Les détectives se résignèrent à patienter jusqu'au samedi suivant.

■■■

Le vendredi après-midi, Justin et son père Robert montèrent en voiture, puis passèrent prendre Odile et Jérôme. Chaque année en juillet, une foire ambulante venait s'installer en ville pour une semaine. Justin et ses amis ne rataient jamais l'occasion d'y faire un tour avec leurs parents. Cette fois, les adultes décidèrent que leurs enfants étaient assez grands pour circuler seuls sur le site.

Le père de Justin les laissa à l'entrée de la foire avec un peu d'argent pour acheter les billets et quelques friandises.

– Amusez-vous bien ! lança Robert. Je vous retrouve ici dans deux heures.

Les trois amis payèrent les billets au guichet.

– Par quoi on commence ? demanda Odile. Les montagnes russes ?

– Il vaut mieux se réchauffer d'abord, suggéra Justin. Essayons le nouveau bateau pirate.

Ils se mirent en file devant le manège. Pendant qu'ils patientaient, Justin en profita pour discuter des affaires de l'agence Mysterium.

– Je suis allé voir madame Toupette, annonça-t-il.

– Ah oui ? s'étonna Jérôme. Elle a été... euh... gentille ?

– Au début, elle m'a pris pour un vendeur de glace à réfrigérateur. Elle a essayé de me repousser à coups de pantoufle. Puis je me suis souvenu du mot de passe. Alors j'ai pu lui parler et elle a accepté que nous passions la nuit dans...

HA HA HA HA HA

Un rire l'interrompit. Rocco Guénette se tenait juste devant eux dans la file.

– Comme ça, railla-t-il, il y a un méchant qui fait mal au chat de madame Toupette ? Et vous n'êtes pas capables de l'attraper ? Que c'est triste !

– Comment sais-tu ça, toi ? l'interrogea Odile.

– Vous êtes allés sonner chez ma tante pour lui demander si on avait attaqué son chat. Elle a trouvé ça mignon et elle voulait savoir si vous étiez mes amis.

Rocco rit de nouveau et se pencha vers eux :

– Elle m'a expliqué pourquoi le méchant vous échappe. C'est un fantôme ! La maison est hantée. Un esprit maléfique sort la nuit pour attaquer le chat. Si vous continuez de le poursuivre, il vous tuera !

Pour créer un effet dramatique, Gorille envoya un coup de poing sur l'épaule de Jérôme, qui tomba à la renverse.

Justin tenta de se jeter sur Guénette, mais un employé lui barra le chemin.

– Eh ! On ne bouscule pas ! C'est chacun son tour.

– Quel idiot…, murmura Odile en regardant Rocco leur faire des grimaces.

Quelques minutes plus tard, ils prirent place dans le bateau pirate. Ils auraient voulu oublier le stupide Gorille, mais il était assis droit devant eux. Il les narguait en poussant des cris de fantôme.

OOOUUUHHH

Pour éviter de retomber sur lui, ils se rendirent de l'autre côté du site. Ils montèrent dans tous les bons manèges, puis dégustèrent une énorme barbe à papa.

– Il nous reste une demi-heure, nota Justin. On retourne dans les montagnes russes ?

– Nous n'avons pas visité la maison hantée, fit remarquer Jérôme.

– Allons-y, proposa Odile. Ça sera une répétition pour demain soir, quand nous passerons la nuit dans une vraie maison hantée !

Justin rit pour cacher le fait qu'au fond de lui, il craignait vraiment de rencontrer un fantôme chez madame Toupette.

– Oui, approuva Jérôme. Il faut se convaincre que les revenants de ce manège sont aussi faux que ceux qu'on verra chez madame Toupette.

De l'extérieur, la maison hantée de la foire ne donnait aucunement envie de hurler. Il s'agissait d'une simple cabane en bois, peinte en bleue. Sur un écriteau, on pouvait lire cette invitation :

VENEZ DÉCOUVRIR
L'HISTOIRE
VRAIE
DE MARIE TOURETTE

«Tourette… Toupette…», ça se ressemble, pensa Justin.

Les trois amis entrèrent et s'assirent dans un chariot. Le manège se mit en marche et ils furent plongés dans l'obscurité la plus totale. Une voix grave et lointaine se fit entendre :

— LES ESPRITS ADORENT TOURMENTER LES ÂMES HUMAINES. MARIE TOURETTE L'A APPRIS À SES DÉPENS…

Une porte s'ouvrit devant eux dans un bruit fracassant.

Le cœur de Justin, d'Odile et de Jérôme se mit à battre à toute vitesse. L'intérieur de la maison hantée ressemblait de manière inquiétante au salon de madame Toupette. Une tapisserie fleurie identique à la sienne recouvrait les murs, avec en plus du faux sang. Justin reconnut dans l'obscurité les mêmes vieux meubles, les mêmes rideaux défraîchis…

Des squelettes et des fantômes mécaniques se jetaient devant eux, alors que des cris de femme retentissaient en arrière-fond.

—LA RAISON DE MARIE TOURETTE FUT EMPORTÉE, reprit la voix d'outre-tombe. **VIDÉE DE SA SUBSTANCE, LA PAUVRE FEMME SUCCOMBA. MAIS CE N'ÉTAIT QUE POUR MIEUX REVENIR… ET SE JOINDRE À LA HORDE DES FANTÔMES DÉMONIAQUES!**

Le spectre d'une vieille femme apparut dans un coup de tonnerre et se mit à tournoyer au-dessus du wagon. À tout instant, il s'abattait sur eux, s'arrêtant à quelques centimètres de leur tête.

Les trois détectives tremblaient tous de peur. Ils savaient que Rocco Guénette n'était pas très malin, mais s'il avait raison cette fois-ci ? Si la maison de madame Toupette était vraiment hantée ? Si elle-même était un fantôme ? Cela expliquerait les cantaloups invisibles...

Auraient-ils vraiment le courage de passer la nuit du lendemain chez elle ?

11

Samedi arriva enfin. Dans l'après-midi, les trois amis s'étaient réunis dans la chambre de Justin.

– Ça n'a aucun sens ! répétait Justin. Les fantômes, ça n'existe pas !

Il avait beau faire le fier, au fond de lui-même, la peur le tenaillait. Et même si le bandit était bel et bien humain, comment réagir si c'était lui qui les prenait par surprise ?

Que fait-on s'il est armé d'un fusil?
Ou d'un couteau?
Peut-être va-t-il nous kidnapper?
On nous retrouvera morts dans la rivière!
Il fait peut-être partie de la mafia!

Un poseur de bombes!
C'est peut-être un tueur en série!
Ou une pieuvre géante!
Hein?

Justin se leva d'un coup. Il en avait assez entendu.

– Si on imagine toutes ces choses affreuses, on aura trop peur de passer la nuit dans la maison ! Il faut qu'on se calme.

– Tu as raison, lui concéda Odile. Les tueurs en série, ça ne rase pas les chats.

– C'est vrai, ajouta Jérôme. Dans le film, ***Rouge Pleine Lune*** le meurtrier poignarde les habitants d'un petit village avec un tournevis. Aucun lien avec les chats.

– Et dans **POUPÉES DE CHAIR**, enchaîna Odile, un fou furieux découpe ses victimes en morceaux et garde les têtes pour s'en faire des amis imaginaires.

– Bon, ça suffit ! s'énerva Justin. On va se faire mourir de peur. Il faut se changer les idées. Pensons à autre chose.

– À quoi ? demanda Jérôme.

– Euh... Est-ce que je vous ai déjà parlé de ma chanson thème pour l'entreprise ?

– Non ! s'enthousiasma Odile. Qu'est-ce que c'est ?

– Eh bien... ça va à peu près comme ça :

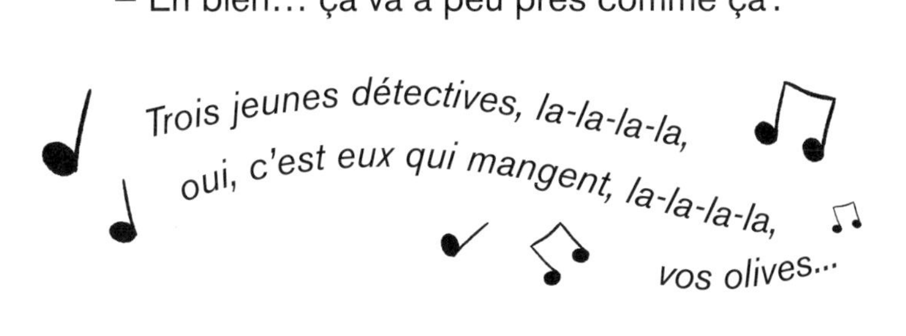

Trois jeunes détectives, la-la-la-la,
oui, c'est eux qui mangent, la-la-la-la,
vos olives...

– Euh, non... Je me suis trompé. C'était :

Pour protéger vos pommes.

– Non, ce n'est pas ça...

– C'est vraiment mauvais, déclara Jérôme.

– On devrait peut-être discuter de nos suspects, intervint Odile pour changer de sujet.

– Oui, dit Jérôme. Parlons de Pierre-Lucien. Je vous rappelle que nous l'avons vu sur les lieux du crime.

– C'est vrai, mais pourquoi ferait-il du mal au chat ? demanda Justin. Il adore la nature et les animaux.

– Peut-être qu'il déteste ses leçons sur les fougères et qu'il cherche à se rebeller, expliqua Jérôme. Quand mes parents m'ont forcé à suivre des cours de tennis, j'étais tellement en colère que j'envoyais par exprès les balles sur les autres élèves.

– Vraiment ? s'étonna Odile. Pourquoi ?

– Je n'avais plus le temps de lire !

– Je vois, reprit Odile. Moi, je pense que Rocco Guénette est un suspect plus intéressant.

– C'est sûr, lui accorda Justin. Sauf que pour l'instant, il n'est pas suspect. Nous n'avons rien contre lui. Et vous vous rappelez ce qui s'est passé au printemps ?

En avril, Rocco s'était éclipsé de chez lui en pleine nuit… avec les clés de la voiture de son père. On avait retrouvé le véhicule dans la rivière. Gorille s'en était tiré sans égratignure, mais depuis ce jour, des verrous fermaient sa chambre. Il n'avait aucune possibilité de sortir sans la permission de ses parents.

– Et que penser de Tonton ? demanda Jérôme. Lui aussi, il était tout près de la scène du crime la semaine dernière.

– C'est un ivrogne, lui rappela Odile. Est-ce que les ivrognes attaquent les animaux ?

– Je l'ignore, dut admettre Justin. Mon père m'a raconté qu'il s'était déjà baigné tout nu parce qu'il avait pris trop d'alcool. Je sais aussi qu'il ne faut pas conduire après avoir bu. Par contre, je n'ai rien entendu à propos des chats.

– Oh, moi si ! s'exclama Jérôme. Dans un livre, un homme massacre des chats et des chiens chaque fois qu'il boit un certain type d'alcool. Puis, à la fin, ses pulsions deviennent tellement fortes qu'il se met à tuer des enfants.

Il y eut un long silence d'effroi.

– *Trois jeunes détectives, la-la-la-la,* fredonna Justin.

Odile et Jérôme partirent souper chez eux. Ce soir-là, les parents de Justin avaient loué un film. Suzanne ne voulait pas que son fils le regarde. C'était le meilleur argument pour que Justin veuille le voir.

– Ce n'est pas pour les enfants ! insistait-elle.

– Bah ! fit Robert. Les jeunes de nos jours en voient de toutes les couleurs. Ce n'est pas **Psychose** qui va le traumatiser.

Il se trompait. Le film se déroulait dans une vieille maison. Une vieille maison habitée par une vieille dame meurtrière. Ou plutôt, par un homme fou qui se déguisait en vieille dame pour tuer ! Il gardait un cadavre empaillé dans le sous-sol de la maison…

Quand Justin partit pour se rendre chez madame Toupette, il tremblait de partout

— Venez, venez ! les invita la vieille dame lorsque Justin, Jérôme et Odile arrivèrent.

—Faites comme chez vous...

Dans l'obscurité, ses yeux globuleux scintillaient à cause des reflets dans ses lunettes. Pourtant, très peu de lumière éclairait l'intérieur de la maison. Une seule lampe répandait des lueurs jaunâtres et des ombres difformes à travers son abat-jour décoloré. Aussitôt que la vieillarde l'eut éteinte, les trois détectives se crurent de retour dans la maison hantée de la foire.

Leur imagination s'emballa. Au premier craquement du plancher, ils s'attendirent à voir un spectre surgir au bout du corridor.

— Installez-vous où vous voulez. Moi, je vais prier pour vos âmes avant de dormir...

Sans un mot de plus, elle monta à l'étage. Quelques secondes plus tard, ils entendirent sa voix râpeuse grommeler d'étranges paroles :

— Garde dans tes mains le sang des brebis perdues... que ton doigt destructeur écrase les serpents du démon...

Puis elle se tut, sa voix laissant place à un ronflement abominable.

ROOONROOOONROON

– C'est peut-être ça, les trompettes de la mort ? avança Odile.

Pendant ce temps, Pompon, dont les yeux luisaient aussi dans le noir, se promenait dans le salon en se frottant contre leurs jambes. Ils le caressèrent un peu, puis le chat en eut assez et se coucha dans son panier.

– Faites la planche dans la planque, lança Jérôme.

– Quoi ? fit Justin.

– C'est une phrase de **POLLOCK MAGOU**. Ça signifie « cachez-vous ».

– Ah bon. Je crois que je préfère « cachez-vous »...

Odile et Jérôme prirent place derrière le canapé, alors que Justin guettait le corridor et la cuisine depuis l'arrière du fauteuil. Ainsi, ils avaient vue sur tout le rez-de-chaussée.

Seul dans sa cachette, Justin luttait contre l'angoisse qui montait en lui. Il songeait à son agence de détectives. S'il voulait en être le chef, rien ne devait l'effrayer !

TAC!

Un bruit sec interrompit ses pensées. Pompon se réveilla et vint se coller sur lui en miaulant, inquiet.

Un autre coup, plus fort, se fit entendre. Il ne provenait pas de l'avant, ni de l'arrière, ni de l'étage où dormait la vieille dame, mais du sous-sol...

Justin comprit ce que signifiait l'expression « avoir des frissons partout ». Il en avait jusque dans les cheveux. Pendant ce temps, Pompon miaulait de plus en plus fort, menaçant d'attirer le bandit, ou le fantôme, directement sur lui.

MIAOOOU

– Va-t'en ! souffla Justin en repoussant le chat.

MIAOOOU

Pompon ne le lâchait pas. Il essayait de lui sauter dessus en s'agrippant avec ses griffes.

MIAOOOU

Odile et Jérôme avaient levé la tête derrière le canapé, toutefois aucun d'eux n'osait bouger.

Un autre son retentit. Un son étrange. Une sorte de grattement étouffé.

SCRRATT SCRRATT SCRRATT

« Comme un mort qui gratte sur le couvercle de son cercueil », pensa Justin en se retenant pour ne pas claquer des dents.

Le chat se calma. Son corps tout raide redevint souple et il cessa de miauler.

SCRRATT SCRRATT SCRRAT

Pompon s'éloigna tranquillement, comme hypnotisé. Il s'en allait vers la cave.

SCRRATT SCRRATT SCRR

La voix d'Odile fit sursauter Justin :

– Le bandit est dans le sous-sol ! Nous devons descendre pour le surprendre…

Odile et Jérôme sortirent de leur cachette. En croisant leur regard, Justin vit qu'ils avaient aussi peur que lui.

Le grattement venait de cesser, quand un déchirant cri de félin résonna.

– On doit y aller ! insista Jérôme.

Personne ne bougea le petit orteil.

Le chat poussa un autre hurlement. Justin prit une grande respiration et se mit en marche. La porte de la cave était à quelques mètres. Il avançait tranquillement, sans faire de bruit, braquant son appareil photo devant lui comme un bouclier.

Il posa la main sur la poignée. Jérôme et Odile le suivaient de tout près. Il ne restait plus qu'à ouvrir la porte et descendre. Et arriver nez à nez avec le coupable.

– C'est dangereux, souffla Jérôme.

– C'est peut-être notre seule occasion ! souligna Odile.

Justin eut une idée. Il ouvrit la porte, passa sa main dans l'ouverture et prit des photos dans tous les sens.

Les trois détectives entendirent alors un nouveau claquement.

TAC !

Puis plus rien. La maison était silencieuse comme une tombe.

Ils restèrent immobiles, à attendre qu'un autre bruit brise la tranquillité. Pas le moindre son ne parvint à leurs oreilles.

Justin mit l'appareil en mode visionnement.

Rien qu'à l'idée de voir le malfaiteur, les trois amis haletaient comme s'ils venaient de courir le marathon.

Or, le mystérieux agresseur du chat n'apparaissait sur aucune photo. Il n'y avait absolument personne, hormis le pauvre Pompon. Il s'était fait enrouler dans du ruban blanc, comme une momie.

– Il faut aller l'aider, déclara Odile.

L'effroi les tenaillait encore tous. Heureusement, Justin remarqua l'interrupteur sur le mur. Il l'actionna pour allumer la lumière de la cave. En pleine clarté, on a toujours moins peur…

Odile dévala l'escalier pour secourir le chat, suivie des deux garçons. La cave était grande, mais presque vide. Un vieux canapé et quelques boîtes ensevelies sous la poussière traînaient au milieu de la pièce, oubliés depuis des années.

– Il n'y a pas de porte, observa Justin. Ni de fenêtre.

– Alors c'est… c'est un fantôme, bégaya Jérôme. Voilà pourquoi on ne peut pas le voir sur les photos.

– Voyons ! protesta Odile. C'est idiot. Les fantômes n'existent pas.

Les deux garçons sentaient pourtant le doute et la frayeur dans sa voix. Comment quelqu'un aurait-il pu se trouver dans le sous-sol s'il n'y avait aucun moyen d'y pénétrer depuis l'extérieur ?

– Regardez ! s'exclama Jérôme.

Un petit loquet dépassait du mur. Une porte avait été taillée directement dans la surface de bois. On la distinguait à peine.

– Si cette porte menait dehors, on l'aurait vue avant, remarqua Justin.

– Alors c'est un placard, répondit Jérôme.

– Sans doute, approuva Justin.

– Si c'est un placard, continua Odile, celui qui a ligoté le chat se trouve à l'intérieur, puisqu'il n'a pas pu sortir…

Le ventre des trois détectives se noua.

12

– Il est peut-être armé, chuchota Jérôme.

– C'est peut-être Tonton, suggéra Odile.

– Il n'y a qu'un moyen de le découvrir, trancha Justin.

Un vieux balai gisait sur le plancher. Justin le ramassa en libérant un nuage de poussière. Il expliqua à voix basse sa stratégie à ses amis.

– Jérôme, à mon signal, soulève le loquet et ouvre la porte aussi vite que possible. Odile, prépare-toi à photographier. Moi, si le bandit essaie de s'échapper ou de s'en prendre à nous, je vais lui foncer dessus avec ce balai. Dès qu'on aura des images, on fiche le camp. À moins que ce soit Pierre-Lucien…

– D'accord !

Justin pointa le balai comme une lance.

– Prêts ? Maintenant !

Jérôme actionna le loquet. Justin se mit à hurler :

– Ah, ah ! On t'a eu ! Sors de...

Sa phrase mourut dans un murmure. La porte s'ouvrit dans un affreux gémissement métallique. Une silhouette imposante et poilue se dessina dans l'obscurité. Justin en eut le souffle coupé. Il resta pétrifié avec son balai dans les mains, tandis que ses amis coururent vers l'escalier.

– Sauve-toi, Justin ! cria Jérôme.

Les mains et les jambes de Justin se crispèrent, comme pour le protéger de l'attaque de la bête du placard. Celle-ci ne fit aucun mouvement. Justin réalisa alors qu'il n'avait devant lui aucune créature monstrueuse.

– Ce n'est qu'un manteau, constata Justin. Il n'y a personne.

Jérôme et Odile, à mi-chemin dans l'escalier, redescendirent en soupirant.

– Où est donc ce malfaiteur ? maugréa Odile.

– Je ne sais pas, murmura Justin, encore secoué.

Sans lâcher son balai, il inspecta le placard. Il y fit une découverte importante.

– Je vois une fenêtre au fond !

Justin essaya de l'ouvrir. Il y parvint sans difficulté. Aucun verrou ne la tenait fermée.

– C'est par là qu'il est venu ! affirma Odile.

Comment cette entrée évidente avait-elle échappé à l'attention de Justin quand il avait examiné la maison ? Les trois amis coururent à l'extérieur pour trouver la réponse.

La fenêtre donnait du côté droit de la maison. Elle était presque invisible, car de hautes herbes et une haie la camouflaient.

– Peut-être que Pierre-Lucien a repéré cette fenêtre en cherchant des plantes, suggéra Odile.

– C'est possible, dit Justin.

– C'est étrange, remarqua Jérôme. Pour venir jusqu'ici, le malfaiteur doit passer soit par l'avant de la maison, soit par l'arrière. S'il était entré par là la semaine dernière, on l'aurait vu !

Jérôme avait raison. C'était impossible d'arriver par le côté.

– Ce serait donc un fantôme…, conclut Jérôme.

Ils frissonnèrent en silence.

– Pas nécessairement ! lança tout à coup Odile. Notre bandit n'a pas besoin de passer ni par l'avant ni par l'arrière, s'il se trouve déjà à côté…

Elle désigna du doigt une fenêtre de la maison voisine. Quelqu'un pouvait facilement en sortir pour se faufiler jusqu'au sous-sol de madame Toupette.

– Oui ! se réjouit Justin en sautant sur place.

On tient enfin une piste !

13

Les trois détectives laissèrent une note à madame Toupette pour lui annoncer qu'ils avaient trouvé des indices importants, puis ils rentrèrent chez eux.

Comme il faisait toujours nuit, Odile et Justin regagnèrent leur lit sans trop craindre d'être surpris par leurs parents matinaux. Par contre, Jérôme tomba face à face avec son père, qui s'était levé pour aller à la salle de bain. Celui-ci avait aussitôt alerté sa mère.

Le visage de ses parents aurait eu la même expression si leur fils avait tenu un sac rempli de bombes.

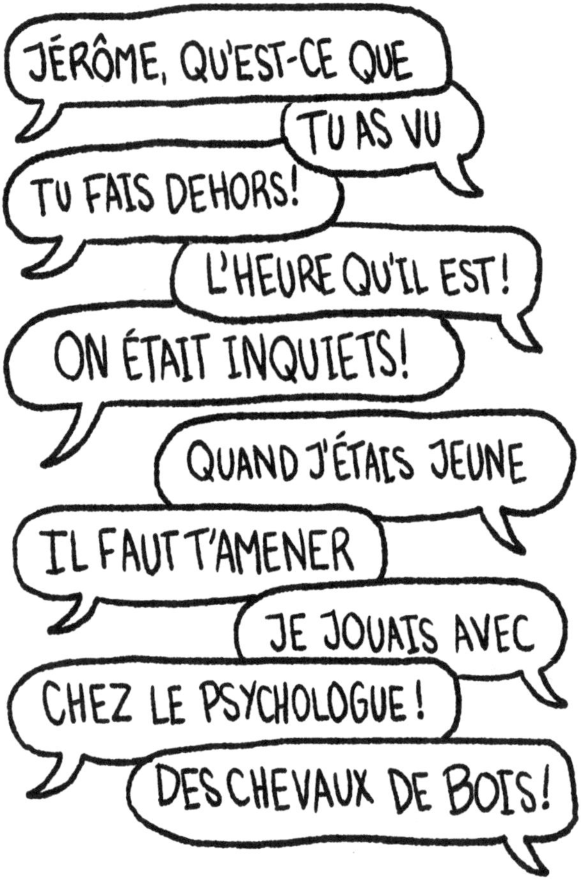

JÉRÔME, QU'EST-CE QUE

TU AS VU

TU FAIS DEHORS!

L'HEURE QU'IL EST!

ON ÉTAIT INQUIETS!

QUAND J'ÉTAIS JEUNE

IL FAUT T'AMENER

JE JOUAIS AVEC

CHEZ LE PSYCHOLOGUE!

DES CHEVAUX DE BOIS!

Ils lui crièrent dessus sans le laisser répondre. Quand Jérôme tenta de leur expliquer qu'il menait une enquête, ses parents trouvèrent l'excuse parfaitement ridicule.

– On ne fait pas d'enquête à ton âge ! vocifféra sa mère. À onze ans, on joue au ballon ! Promets-nous que tu arrêteras de te prendre pour un détective.

Jérôme ne voulut pas promettre.

– Très bien ! Dans ce cas, pas de sorties, pas de jeux vidéo et pas de lecture ! Maintenant, va te coucher.

Jérôme monta dans sa chambre, les larmes aux yeux.

Le lendemain, ses parents appelèrent ceux de Justin et Odile pour les aviser de l'escapade de leur enfant. Tous les adultes étaient furieux et ils organisèrent une réunion au sommet. À leur âge, les jeunes ont besoin de dormir ! répétaient-ils. C'est important pour nous de savoir où ils se trouvent ! Ils font ça sans surveillance ! En pleine nuit ! Que se serait-il passé si l'un d'eux s'était blessé ?

Justin et Odile furent aussi privés de sorties. Heureusement, les trois amis avaient toujours droit à l'ordinateur et ils purent communiquer par conférence vidéo.

— On ne peut pas abandonner maintenant ! On a enfin des indices !

— Je sais, mais si on se fait prendre à nouveau, on ne pourra plus sortir de l'été.

Justin réfléchit un instant.
Il ne voyait qu'une solution.

— Il faut absolument surprendre le coupable samedi prochain. Nos parents croient que l'agence Mysterium n'est qu'un jeu. Si on sauve Pompon, ils réaliseront que notre travail est utile. Ils seront plus compréhensifs, non ?

Jérôme et Odile approuvèrent, même si l'idée de désobéir à nouveau les tracassait.

— Nous avons une semaine pour nous préparer, décréta Justin. Samedi prochain, nous devons réussir.

— Sinon, nos parents poseront des verrous sur notre porte de chambre, comme sur celle de Rocco Guénette.

— Oui, ils...

Justin s'interrompit. Un éclair venait de traverser son esprit.

— **Rocco !**

— Hein ? Où ça ?

— À côté de chez madame Toupette ! On est déjà au courant que sa tante habite dans le voisinage. Il nous l'a dit à la foire. Cela ne prouvait pas grand-chose au départ. Mais maintenant qu'on sait que celui qui maltraite Pompon vient sans doute de la maison d'à côté, la piste devient plus nette, non ?

— Oui ! Sa tante le garde probablement tous les samedis. Pendant que ses parents sortent se minoucher entre amoureux, il dort chez elle. Il en profite pour reprendre ses vieilles habitudes et faire quelques mauvais coups la nuit… C'est logique.

— Tout à fait. Quoique l'odeur de roussi ne désigne pas toujours le rouquin.

— Hein ?

— C'est encore du Pollock Magou. Ça signifie que ce n'est pas une preuve solide. Nous ne sommes pas sûrs à cent pour cent. Si ça se trouve, sa tante habite plus loin et Gorille n'a rien à voir là-dedans.

— C'est vrai. Ce serait bien de le confirmer pour nous préparer en conséquence. Pour lutter contre Rocco, ça prend l'artillerie lourde.

L'excitation de chacun des détectives était palpable. Ils se sentaient tout près du but. Mais comment pourraient-ils vérifier qui demeurait à côté de chez madame Toupette s'ils n'avaient plus le droit de sortir ? Un silence songeur remplit la conversation.

— Je m'en charge, déclara tout à coup Odile.

— Ah ? Comment vas-tu faire ? demanda Justin.

— J'ai toujours rêvé d'être une espionne. Ce sera l'occasion ou jamais d'essayer !

Sur ces paroles intrigantes, elle disparut de l'écran.

Après sa conversation avec ses amis, Odile s'enregistra en train de s'exercer à la guitare pendant près de deux heures. Le lendemain, elle ferma la porte de sa chambre et fit jouer cette répétition dans ses haut-parleurs. Puis elle se glissa hors de chez elle par la fenêtre. Dix minutes plus tard, la jeune fille montait l'escalier menant à la porte des voisins de la vieille dame.

À travers la fenêtre, elle pouvait entendre le son de la télévision :

– Si vous devinez le nombre de patates que peut contenir un chaudron Connor, vous gagnez un ensemble de cuisine Connor douze morceaux ! s'égosillait le présentateur télé.

Odile sonna. Le volume du téléviseur baissa et des pas lents résonnèrent.

Une femme blonde et plutôt ronde ouvrit la porte. Elle devait avoir environ quarante ans et elle était toujours en robe de chambre, malgré qu'il soit deux heures de l'après-midi.

– Oui ? dit la femme.

– Bonjour, est-ce que Ro... euh...

Odile fut pétrifiée de surprise. Derrière la femme, au bout du corridor, la silhouette d'un jeune garçon se dessina. Un garçon dodu, habillé en scout.

– Chéri, je crois que tu as une amie ! annonça la dame.

Pierre-Lucien s'approcha. Il semblait aussi étonné qu'Odile.

– Non... euh... oui ! bredouilla la jeune fille.

Odile n'en revenait pas. C'était donc la maison de Pierre-Lucien ? C'était donc lui qui attaquait un pauvre chat tous les samedis ? L'étonnement mêlé d'excitation la rendit toute confuse. Elle s'efforça de rester calme. Il fallait qu'elle joue son rôle d'espionne.

– Ça va, Pierre-Lucien ? demanda-t-elle pour se laisser le temps de réfléchir. Il fait beau, hein ?

– Oui, répondit-il simplement, trop surpris pour lui renvoyer la question.

– Je voulais savoir si... euh... tu cherchais encore quelqu'un pour suivre avec toi le cours sur les fougères. Ça m'intéresse beaucoup !

– Oh non, désolé, s'excusa le garçon. J'ai trouvé quelqu'un.

– Vraiment ! s'écria Odile incrédule. Euh... c'est-à-dire... vraiment ? Eh bien, zut.

– Veux-tu venir m'aider à finir mon casse-tête mille morceaux ?

– Euh... non. Je ne peux pas. Je passais seulement m'informer pour les fougères.

– Une autre fois ? se risqua Pierre-Lucien. Je pourrai te montrer ma collection de pattes de fourmis.

– Euh... d'accord ! répondit Odile en s'éloignant.

– À bientôt ! lança le scout.

– Oui ! À... À bientôt !

Elle avait failli dire : **À samedi !**

14

L'heure du premier grand coup dans la carrière de détective de Justin avait sonné. Malgré l'interdiction de ses parents, il allait sortir durant la nuit pour prendre Pierre-Lucien en flagrant délit.

Odile avait décidé de l'accompagner sans hésiter. Jérôme, plus difficile à convaincre, avait fini par accepter de les suivre. Ne pas participer, ça aurait été comme ne pas lire le dernier chapitre d'une aventure de **POLLOCK MAGOU** et de toute façon, comme il n'avait plus droit à ses romans, il devait bien trouver un autre moyen de se divertir.

Les trois détectives avaient encore du mal à croire que Pierre-Lucien était celui qui attaquait Pompon. Il aimait tant la nature et les animaux ! Pourtant, il habitait à côté de chez madame Toupette. Lui seul avait pu accéder à la fenêtre du sous-sol de la vieillarde sans se faire voir.

Peut-être avait-il une personnalité cachée, comme Docteur Jekyll et Mister Hyde. Ou peut-être se changeait-il la nuit en monstre sanguinaire, comme un loup-garou. Cela expliquerait ce qu'il faisait sur le terrain de madame Toupette le premier soir. Et cela expliquerait pourquoi Rocco n'osait pas s'en prendre à lui. Il avait peut-être déjà vu le scout se transformer en bête horrible…

Les trois amis arrivèrent sur les lieux. Un vent discret animait la nuit autour de la maison de la vieille dame.

Celle-ci accueillit les détectives avec enthousiasme. Ils lui avaient promis qu'ils allaient enfin réussir à démasquer le malfaiteur.

— Je vous ai préparé une collation qui vous donnera de l'énergie !

Elle leur tendit une assiette. Cette fois, les aliments n'étaient pas invisibles. L'assiette contenait des brocolis tout jaunes qui avaient l'air mous comme de la confiture.

— Oh ! J'ai failli oublier ceci.

Elle disparut dans la cuisine pour revenir avec une râpe à fromage.

— Voilà.

– Euh... c'est pour quoi faire ? demanda Justin.

— Voyons ! Pour accompagner les brocolis. Vous me prenez pour une folle ?

– Ah, bien sûr, merci.

— Je suis trop fatiguée pour rester debout, Mais quand vous aurez attrapé le malfrat, venez me réveiller. Je veux qu'il présente ses excuses à Pompon. Puis, Pompon lui rendra tout ce que ce vaurien lui a fait subir !

– Euh..., balbutia Justin, vous voulez dire que Pompon pourra l'attacher et...

— Oui ! On verra s'il s'amuse encore, ce petit charognard !

Madame Toupette monta se coucher. Les trois amis abandonnèrent la collation dans la cuisine et partirent mettre leur plan à exécution.

Justin et Odile guetteraient le sous-sol depuis l'arrière du vieux canapé dans la cave, tandis que Jérôme attendrait derrière un buisson à l'extérieur. Son poste lui permettrait de photographier Pierre-Lucien quittant la maison voisine et entrant chez madame Toupette.

Vers minuit, comme ils l'avaient prévu, la fenêtre du côté s'ouvrit.

– Le voilà, chuchota Jérôme dans le walkie-talkie.

Jérôme prit une photo et ce qu'il vit ensuite le figea de peur et de surprise.

Ce qui sortait par la fenêtre était beaucoup plus haut et plus gros que Pierre-Lucien. Le scout s'était-il vraiment changé en monstre ?

Jérôme voulut saisir son walkie-talkie, lorsqu'il entendit des pas derrière lui.

– Lâche ça, le somma une voix.

Jérôme se retourna.

Quatre garçons, tous très grands et très costauds, arrivaient dans la rue, armés de bâtons de baseball.

– Viens avec nous, dit l'un d'eux en l'attrapant par le bras.

Pétrifié, Jérôme obéit. Il aurait préféré avoir affaire à des fantômes ou à un monstre.

À l'intérieur, Justin et Odile se tenaient prêts. Ils s'étaient munis d'un deuxième appareil photo pour prendre le malfaiteur sur le fait.

Justin avait déjà le sourire aux lèvres quand la porte du placard s'ouvrit.

Son sourire se transforma en expression terrifiée quand il vit que ce n'était pas le scout qui arrivait, mais Rocco Guénette avec quatre de ses camarades et Jérôme, maintenu par les bras comme un prisonnier.

– Montrez-vous ou on vous trouvera !

le menaça Guénette.

Justin ne comprenait plus rien. Où était Pierre-Lucien ? Dans l'immédiat, la réponse à cette question ne réglerait pas leur problème, qui était : comment échapper à la bande de gorilles ? En courant jusqu'en haut ? Rocco était droit sur leur chemin. En restant cachés ? Il n'y avait que l'arrière du canapé pour se dissimuler. Leurs assaillants les repéreraient tout de suite.

Odile et Justin se relevèrent, vaincus.

– Ha ha ! Vous avez l'air malin, les détectives ! Je vous ai entendus là-haut en train de mourir de peur samedi dernier. Je me suis dit que je vous réserverais une petite surprise aujourd'hui. Pas mal, hein ? Qui est le plus rusé maintenant ?

Justin avait envie de s'arracher les cheveux. Se faire rouler par un imbécile comme Rocco Guénette, quelle honte !

Le gorille qui tenait Jérôme le projeta par terre. Guénette riait pendant que ses amis encerclaient les trois détectives.

– Donnez-moi vos caméras ! ordonna Rocco.

– On n'a même pas pris de photos, protesta Justin.

– Je m'en fous ! Donnez-les-moi.

Deux des gorilles leur arrachèrent les appareils des mains puis les jetèrent sur le sol. Quelques morceaux volèrent sur le plancher, pendant que Guénette continuait de les détruire en les piétinant.

– Je ne comprends pas, murmura Jérôme. Qu'est-ce que Rocco faisait dans la maison de Pierre-Lucien ?

Un déclic se fit dans la tête de Justin.

– Pierre-Lucien est ton cousin ! s'écria-t-il en regardant le gorille. C'est pour ça que tu ne lui as pas fait mal quand il t'a appelé Poupou l'autre jour. C'est pour ça que tu ne lui fais jamais mal. Sa mère est ta tante.

Rocco se retourna vers Justin avec des fusils dans les yeux.

– Bravo, grogna-t-il. Vous connaissez tous mes terribles secrets. C'est moi qui torture Pompon, Pierre-Lucien est mon cousin et ma famille m'appelle Poupou. Vous en savez trop, comme on dit. Ça va vous coûter cher.

Toute la bande de primates se mit à rire. L'un d'eux sortit des cordes d'un sac à dos. Ils ligotèrent les trois détectives. Justin aurait voulu se débattre, seulement Rocco le menaçait avec un bâton de baseball.

– Vous allez passer la nuit dans la maison, continua Gorille. Elle est peut-être vraiment hantée, après tout... En bonus, je vous offre un choix. Première option : on vous balance des coups de pied jusqu'à ce que vous soyez couverts de bleus. Deuxième option : on ne vous fait pas mal, mais vous devez boire toute cette bouteille de laxatif.

Les rires fusèrent à nouveau.

Justin serra les dents. Il sentait la rage jusque dans ses ongles. Il n'allait pas ouvrir la bouche ingurgiter du laxatif !

– On va te faire regretter ça, je te le promets, gronda Odile entre ses dents.

Puis elle ajouta :

– Mon petit *Poupou*...

– Comment tu m'as appelé ? s'écria Rocco.

– *Poupou*, répéta Odile.

– Tu l'auras voulu ! On va vous frapper jusqu'à ce que vous buviez tout le médicament ! À mon signal, on tape ! Un, deux, trois...

– Arrêtez ça !

Une voix puissante et autoritaire venait de retentir, clouant tout le monde de surprise. C'était... Tonton ! Il arrivait par le placard. Il avait perdu sa voix éraillée et marchait d'un pas assuré. Un revolver était rangé dans sa ceinture.

– T'es qui, toi ? bredouilla Rocco.

– Je m'appelle Antoine Latoile, se présenta Tonton. Je suis détective privé. On dirait qu'il se passe de drôles de choses ici...

Il regardait les gorilles armés de bâtons. Guénette et ses amis avaient les yeux écarquillés de stupéfaction. Tout comme Odile, Justin et Jérôme d'ailleurs.

– Vous pouvez m'expliquer ce qui se trame ? demanda Antoine Latoile.

– Euh..., marmonna Guénette. C'est que... on est aussi des détectives !

– Ouais ! firent les quatre autres en chœur.

– Et on vient de prendre ces jeunes en flagrant délit ! reprit Guénette. Ils ont fait mal au chat.

– Ah oui ? lâcha le détective privé. Et qu'est-ce qu'ils ont fait ?

– Avoue, dit Rocco. Raconte ce que tu as fait au chat de madame Toupette.

Tonton regardait Justin, qui n'allait pas se laisser avoir ainsi. Tonton savait que c'était lui, le détective, et pas Rocco. Il l'avait vu à l'ouverture de l'agence Mysterium. Dans son regard, Justin sentait qu'Antoine Latoile le mettait au défi. Ses yeux disaient : si tu es un vrai détective, montre-moi que tu es plus rusé que les méchants. C'est ce que Justin allait faire.

– Non, toi, Rocco, dis-le, j'ai trop honte.

– Il l'a couvert de peinture rouge avec une bonbonne aérosol ! ricana Rocco. Ça prendra des semaines à partir. C'est tellement méchant...

Un des autres gorilles intervint tout à coup :

– Comment il a fait ça ? Il nous a volé la bonbonne de peinture ?

– Non, Zozo, elle est encore dans mon sac !

Sur ce, Pompon arriva, parfaitement propre.

Rocco tressaillit, comprenant soudain qu'il s'était pris lui-même au piège. Antoine Latoile arracha le sac à dos des mains du gorille. Il y découvrit la bonbonne encore neuve.

– Qui est le plus rusé, maintenant ? ironisa Justin.

15

Dans la seconde qui suivit, Rocco et ses quatre amis décampèrent. Au grand étonnement de Justin, Antoine Latoile les regarda s'enfuir par le placard.

– Vous les laissez partir ? protesta Justin.

– À quoi bon m'essouffler pour eux ? répondit le détective. La tante de Rocco habite juste à côté. En plus, il fréquente la même école que vous. On le retracera facilement. Il n'ira pas se cacher au Mexique.

Latoile avait raison. Rocco et ses amis ne pouvaient pas se sauver toute leur vie. Ils retourneraient chez leurs parents bien assez vite.

Le détective libéra les trois amis. La stupeur les empêchait encore de parler. Odile finit par ouvrir la bouche :

– Alors tout ce temps, vous jouiez un personnage ? Vous n'êtes pas vraiment un ivrogne ?

– Ha ! ha ! Non, expliqua Latoile. J'étais déguisé pour une enquête. C'est un bon truc pour espionner les gens.

Il fit un clin d'œil à la jeune fille. Comment pouvait-il savoir qu'elle rêvait d'être espionne ?

– Lorsque j'ai vu que vous preniez votre entreprise au sérieux, reprit Latoile, j'ai décidé de vous surveiller un peu. Je ne voulais pas que vous vous mettiez dans le pétrin.

– Et c'est ce qu'on a fait, avoua Justin, tête basse.

– Ce n'est pas grave, répondit le détective. Ça arrive à tout le monde. Ça signifie seulement que vous en avez encore à apprendre. Et apprendre, ça veut dire continuer d'aller à l'école…

Cette fois, il fit un clin d'œil à Justin. Il savait donc tout sur eux ?

– Bon, soupira Justin. Qu'est-ce qu'on fait maintenant ?

– Rentrez vous coucher. Revenez demain matin. Vous pourrez annoncer à madame Toupette que le coupable a été démasqué et neutralisé. Elle sera bien contente.

Odile, Justin et Jérôme remontèrent les marches de l'escalier.

– Faites attention, leur lança le détective depuis la cave. Vous oubliez le mystérieux fantôme qui fait *scratt scratt scratt* pour hypnotiser le chat…

– Un… un fantôme ? s'effraya Jérôme.

– Oui. Un fantôme qui s'appelle boîte-de-gâteries-pour-chat.

Tonton sortit une petite boîte ronde et la secoua.

SCRRATT SCRRATT SCRRATT

– Je l'ai prise à Rocco. Vous pourrez la donner à madame Toupette.

– D'accord, accepta Justin. Mais comment saviez-vous que nous avions entendu ce bruit ? Comment savez-vous toutes ces choses sur nous ?

– Je suis détective.

Antoine n'ajouta rien de plus, laissant se dessiner un petit sourire mystérieux au coin de ses lèvres.

■■■

Le lendemain, comme le détective privé l'avait prédit, madame Toupette les accueillit avec des cris de joie.

— Oh ! Je vous suis si reconnaissante ! Je vais aller chercher votre récompense. Mangez votre collation en attendant. Vous avez bien mérité ce petit délice...

Sur la table se trouvait une assiette garnie de champignons tout noirs.

– Vous croyez qu'ils sont vénéneux? les questionna Odile, un peu craintive.

– Oh! Pourquoi n'y ai-je pas pensé avant? s'écria Jérôme. Les trompettes de la mort, ce sont des champignons. Et comestibles en plus!

Il en saisit un et le dégusta tranquillement.

La vieille dame revint avec une boîte métallique. Une sorte de coffre au trésor. Justin ne put s'empêcher de sourire. Il se sentait tout fébrile à l'idée de recevoir son premier salaire de détective. Madame Toupette s'assit et l'ouvrit. Elle en sortit trois petits cadres.

— Voilà pour vous. De jolies photos de Pompon. Vous pourrez penser à lui tout le temps maintenant.

Les trois détectives prirent leur cadeau d'une main hésitante. Vraiment? C'était tout? Justin regarda le sien. On ne voyait même pas Pompon. Seulement son panier vide...

— Il est superbe, n'est-ce pas?

– Euh... magnifique, répondit Justin.

— Je vais ajouter à ça un petit pourboire.

Elle tendit la main et sortit son porte-monnaie de sa sacoche. Les yeux de Justin se ravivèrent.

— Deux beaux dollars pour chacun! C'est huit fois ce que je donne au livreur de l'épicerie.

– Oh, merci, c'est trop, dit poliment Justin, cachant mal sa déception.

C'était donc ça, la vie de détective? Des heures de travail et un tas de risques encourus pour un salaire ridicule? Au moins, lui et ses amis s'étaient amusés. Et ils avaient vraiment rendu service à quelqu'un.

— Maintenant, où est le gredin qui a fait souffrir ma petite boule de poils chérie ? Pompon a droit à sa vengeance...

■■■

Ce n'est pas le matou qui punit Rocco, mais bien ses parents. Quand ils furent mis au courant des événements, ils le changèrent d'école. Il fut placé en pension très, très loin, en compagnie de Pierre-Lucien, qui était fou de joie. Après avoir passé une partie de l'été à suivre un cours sur les fougères avec son cousin, il aurait une année complète pour observer le lichen du Grand Nord avec lui.

■■■

Une semaine plus tard, Justin se prélassait dans sa piscine, un thé glacé aux framboises à la main. Maintenant qu'un premier crime avait été résolu, il voulait profiter de son été à temps plein.

Justin et ses amis aussi avaient été punis, mais pas trop sévèrement. Au fond, leurs parents étaient fiers de ce qu'ils avaient accompli. Les trois détectives furent privés de sortie quelques jours de plus, puis l'été continua comme à l'habitude.

– Pourquoi tenais-tu tant à devenir détective ? demanda son père à Justin.

– Je voulais gagner de l'argent pour pouvoir arrêter l'école.

– Quoi ? C'est ridicule.

– Je sais, c'est important d'apprendre.

– Apprendre ? s'étonna son père. Euh... oui, c'est vrai. Mais le plus important, c'est qu'après les cours, tu peux passer une heure à jouer au hockey avec tes camarades de classe dans la cour d'école. Avec qui jouerais-tu autrement ?

Il avait raison.

Justin n'avait décidément pas le choix, il devait retourner en classe.

ÉPILOGUE

Le jour de la rentrée arrivait déjà. Justin ne comprenait toujours pas comment les vacances pouvaient passer si rapidement.

Cette année-là, une surprise l'attendait.

– Justin, viens dans mon bureau, s'il te plaît.

Justin reconnut la voix de monsieur Macaron, qui, à travers le haut-parleur, sonnait comme le grognement d'un hippopotame coincé dans une poubelle.

Une fois seul avec Justin, le directeur ferma la porte et tira les rideaux.

– Il faut que je te fasse part de quelque chose, chuchota monsieur Macaron. De quelque chose de très grave...

Il prit une profonde respiration et baissa les yeux, comme s'il n'avait pas le courage de regarder Justin.

– Je suis victime d'un phénomène extrêmement étrange… Je n'ose en parler à personne, car on dira que je suis fou !

Une goutte de sueur perla sur le front du directeur.

– Je possède une poupée de porcelaine. Elle s'appelle Babouche. C'est ma grand-mère qui a choisi ce nom il y a cent ans. Parfois, la nuit, quand je me réveille pour aller à la salle de bain, Babouche a disparu ! Elle n'est plus sur son étagère ! Puis, le matin venu, elle a regagné sa place… Il faut que vous m'aidiez !

Justin resta silencieux un moment. La dernière chose à laquelle il s'attendait, c'était que le directeur de l'école qu'il avait voulu fuir l'embauche pour une enquête. Il cacha sa surprise et prit un air sérieux. De sa poche, il tira un crayon et un petit calepin, sur lequel il avait fait imprimer le logo de l'agence Mysterium.

– Et cela a commencé quand ? demanda-t-il.

Une nouvelle enquête venait de démarrer.

Alexandre Côté-Fournier

Alexandre Côté-Fournier a étudié en cinéma et en création littéraire. Il est aujourd'hui enseignant au cégep. Il a écrit ses premières histoires d'horreur au début de l'adolescence sur une vieille dactylo, rien de moins (pour faire plus « écrivain » !) Il n'a pas cessé d'écrire depuis, mais a délaissé son antique machine pour le bon « vieil » ordinateur.

LIBRAIRIE A LA PAGE BOOKSHOP
Tel: (204)233-7223
200, boulevard Provencher
WINNIPEG, (MB)
OUVERT DU MARDI AU SAMEDI 10H - 17H
alapage@mts.net

No. produit Description		Prix
TC189386 AGENCE MYSTERIUM T.1 L'ÉTRANG		
	1 @ 13.95	13.95 F
TC194384 PAREILS T.1 LES OEUFS CASSES		
	1 @ 13.95	13.95 F
TC212685 JOURNEE SANS ECRAN! (LA)		
	1 @ 24.95	24.95 F
U VENTE SITE LIQ		
	-1 @ 55.50	-55.50 N

Sous-total=	-2.65
TPS=	2.65
TVP=	.00
Total des ventes=	.00

Commis: A LA PAGE 10/08/2021 09:
TPS: 100107549RT0001 Tran: #18849-

AUCUN REMBOURSEMENT -- ECHANGE SEULEME
CD/DVD - AUCUN ECHANGE SI OUVERT

Sophie Bédard

Sophie Bédard a commencé à faire de la bande dessinée un peu par accident et continue depuis. Elle est l'auteure de *Glorieux Printemps*, une série parue en quatre tomes aux éditions Pow Pow. Elle étudie présentement en sexologie tout en se consacrant au dessin dans ses temps libres.

la courte échelle noire

Des romans pour les amateurs de sensations fortes.

HORREUR SUSPENSE ENQUÊTE

Dans la collection noire

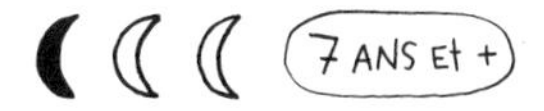

L'homme de la cave, Alexandre Côté-Fournier

Le champ maudit, François Gravel

L'étrange fille au chat, Rémy Simard

Oiseaux de malheur, Jocelyn Boisvert

Un bruit dans les murs, Julie Champagne

Je suis un monstre, Denis Côté

L'agence Mysterium – L'étrange cas de madame Toupette, Alexandre Côté-Fournier

L'agence Mysterium 2 – Les disparitions de Babouche, Alexandre Côté-Fournier

L'agence Mysterium 3 – Mission Nanouime, Alexandre Côté-Fournier

Les mannequins maléfiques, Pierrette Dubé

Les vieux livres sont dangereux, François Gravel

Tu n'as rien à craindre des cimetières, François Gravel

Ça leur apprendra à sortir la nuit, François Gravel et Martine Latulippe

Lac Adélard, François Blais

Les prédateurs de l'ombre, Denis Côté

Terminus cauchemar, Denis Côté

Baie-des-Corbeaux, Sonia Sarfati

Sombre secret, Carole Tremblay

L'étrange cas de madame Toupette a été achevé d'imprimer en décembre 2020 de matériaux issus de forêts bien gérées certifiées FSC® et d'autres sources contrôlées.